EL EXTRAÑO CASO DEL DR. JEKYLL Y MR. HYDE

Robert Louis Stevenson

El extraño caso del Dr. Jekyll y Mr. Hyde

El extraño caso del Dr. Jekyll y Mr. Hyde
R. L. Stevenson

D.R. © Editorial Lectorum, S.A. de C.V., 1999.
Antiguo Camino a San Lorenzo 220
C.P. 09830, México, D.F.
Tel.: 56 12 05 46
www.lectorum.com.mx
ventas@lectorum.com.mx

L.D. Books
8681 NW 66 Street
Miami, Florida, 33166
Tel. 406 22 92 / 93
www.ldbook.com
ldbooks@bellsouth.net

Cuarta reimpresión: abril de 2003
ISBN: 968-7748-21-4

D.R. © Portada: Blanca Cecilia Macedo

Impreso y encuadernado en México.
Printed and bound in Mexico.

A Katharine De Mattos

Es locura separar lo que Dios quiso unir; siempre seremos los frutos del árbol y del viento.
Muy lejos del hogar, para ti y para mí se hincha
siempre leve la retama en un país del Norte.

LA HISTORIA DE LA PUERTA

MÍSTER UTTERSON, ABOGADO, ERA UN HOMBRE DE SEMBLANTE duro, jamás suavizado por una sonrisa. Era directo, discreto y frío al hablar; emocionalmente retraído; delgado, alto, serio, melancólico y, tal vez, de alguna manera, digno de amor. Con sus amigos, sobre todo cuando el vino era de su gusto, algo casi humano asomaba a sus ojos; algo que nunca era expresado con palabras, pero que se manifestaba no sólo mediante esos silenciosos símbolos de la sobremesa, sino, más frecuentemente y con mayor intensidad, a través de los actos de su vida. Era disciplinado, austero consigo mismo. Cuando se encontraba solo, bebía ginebra para mitigar su gusto por los vinos ligeros. Amaba el teatro, pero hacía veinte años que no asistía a una representación. Mostraba tolerancia hacia los demás, y algunas veces se sorprendía, casi con gusto, con un poco de envidia incluso, ante el brío y el entusiasmo puesto en una alguna fechoría. De cualquier manera, casi siempre se mostraba más dispuesto a ayudar que a censurar. "Siento debilidad por la herejía de Caín —solía decir con cierto aire divertidamente arcaico—. Dejo que mi hermano se vaya al diablo a su manera." Con ese carácter, tenía con regular frecuencia el poco envidiable honor de ser el último amigo honorable y la última influencia benéfica en la vida de los hombres que iban cuesta abajo. Y para esos hombres, cuando se presentaban en su casa, nunca mostró el más leve cambio en su actitud.

Es de suponer que tal actitud no le costaba ningún trabajo a míster Utterson por su natural reserva, e incluso sus amistades parecían fundarse en una similar liberalidad de buen talante. Una característica de un hombre modesto es el aceptar un círculo de amistades ya modelado por las manos de la oportunidad; y ése era el modo del abogado. Eran sus amigos quienes tenían su misma personalidad, o aquellos a quienes había conocido durante más tiempo; sus afectos, como la hiedra, eran fruto del tiempo, y no implicaban propensión hacia el objeto. De ahí, sin duda, el lazo que le unía a míster Richard Enfield, pariente lejano suyo y hombre muy conocido en toda la ciudad. Muchos se preguntaban qué podían ver esos dos el uno en el otro, o cuáles temas compartían. Quienes se los habían encontrado en sus paseos del domingo contaban que no decían nada, parecían singularmente aburridos y saludaban con evidente alivio la aparición de un amigo. Con todo, los dos hombres otorgaban la mayor importancia a esas excursiones, las consideraban la joya principal de cada semana, y no sólo dejaban de lado oportunidades de placer, sino que incluso se resistían a las llamadas del deber con objeto de disfrutarlas sin interrupción.

En uno de esos recorridos, sus pasos les condujeron a una calle en un barrio de negocios de Londres. La calle era pequeña y tranquila, pero presenciaba un próspero atareamiento en los días laborales. Parecía que los habitantes eran personas con recursos y con esperanzas de mejorar aún más su posición, y empleaban el excedente de sus ganancias en coquetería; de modo que los escaparates de las tiendas de toda la calle tenían un aire de invitación, como filas de dependientas sonrientes. Incluso en domingo, pese a estar velados sus más floridos encantos y estar prácticamente vacía de transeúntes, la calle resplandecía en contraste con el sucio vecindario, como una hoguera en el bosque; y, con sus persianas recién pintadas, sus bronces perfectamente pulidos, y la limpieza y alegría de toda la escena, atraía y complacía de inmediato la mirada del viandante.

A dos puertas de una esquina, a mano izquierda yendo hacia el este, interrumpía la línea la entrada a un patio; y, justo en aquel punto, la mole un tanto siniestra de un edificio lanzaba su techo saliente sobre la calle. Tenía dos pisos de altura, ni una sola ventana, sólo una puerta en el piso inferior, una frente lisa de descolorido muro en el piso superior; y todos sus rasgos eran señales de una negligencia prolongada y sórdida. La puerta, que no estaba equipada con ninguna campanilla o picaporte, tenía ampollas de pintura caída. Las prostitutas se apostaban en aquel abrigo y encendían cerillas contra los paneles; los niños vendían baratijas en los peldaños; el colegial había probado su cuchillo en las molduras; y, por cerca de una generación, no había nadie que echara a aquellos ociosos visitantes o reparara sus estragos.

Enfield y el abogado estaban al otro lado de la calle; pero cuando llegaron frente a la entrada, el primero levantó su bastón y la señaló.

—¿Se ha fijado usted alguna vez en esa puerta? —preguntó; y, después de que su acompañante le contestara afirmativamente, añadió: —Está relacionada en mi mente con una historia muy extraña.

—¿De veras? —dijo Utterson, con un ligero cambio de tono—. ¿Y qué historia es ésa?

—Bien, pues fue de este modo —contestó míster Enfield—, yo regresaba a mi casa desde un lugar lejano, hacia las tres, en una negra mañana de invierno, y mi ruta pasaba por un sector de la ciudad donde no había literalmente nada que ver, como no fuera luces de farolas. Calle tras calle, todo el mundo dormido; calle tras calle, todo encendido como para una procesión y tan vacío como una iglesia; hasta que al fin entré en ese estado mental en que un hombre escucha, y escucha, y empieza a anhelar la presencia de un policía. De repente, vi a dos personas: una de ellas era un hombrecillo que iba renqueando hacia el este, a buen paso, y la otra una niña de unos ocho o diez años que caminaba lo más aprisa que podía hacia un cruce. Pues bien, uno y otra llegaron con toda normalidad a la esquina; y entonces vino la parte horrible del asunto; ya que el hombre caminó tranquilamente sobre el cuerpo de la niña, y la dejó chillando en el suelo. No parece gran cosa cuando se cuenta, pero resultaba estremecedor verlo. No parecía un hombre; era como una fuerza maligna irresistible. Di un grito de alerta, eché a correr, cogí por el cuello a aquel tipo y le hice volver al sitio donde ya se había formado un grupo alrededor de la niña que chillaba. Él estaba perfectamente tranquilo y no opuso resistencia, pero me lanzó una mirada tan fea que me hizo sudar como cuando se corre. La gente que había acudido era la familia de la niña; y pronto apareció el médico al que la niña había salido a buscar. Bueno, la niña no había sufrido grandes daños, y sobre todo estaba asustada, según el matasanos; y usted podría suponer que terminó ahí la cosa. Pero se dio una circunstancia curiosa. Yo le había tomado aversión al tipo desde el primer vistazo. Lo mismo ocurría con la familia de la niña, cosa que era muy natural. Pero lo que me chocó fue el caso del médico. Era el típico boticario de mollera cerrada, sin edad ni rasgos particulares, con un fuerte acento de Edimburgo, y tan sensible como una gaita escocesa. Pues bien, le sucedió como a todo el resto de nosotros: cada vez que miraba a mi prisionero, el matasanos, según vi, sentía náuseas y empalidecía con el deseo de matarlo. Yo sabía lo que tenía en mente, del mismo modo que él sabía lo que había en la mía; y, puesto que matarlo era imposible, tomamos la siguiente opción. Dijimos al hombre que podíamos y estábamos dispuestos a hacer tanto escándalo del suceso, que su nombre apestaría de un extremo a otro de Londres. Si tenía amigos o cierto crédito, haríamos que los perdiera. Y, durante el tiempo en que pusimos el asunto al rojo vivo, hacíamos un gran esfuerzo por contener a las mujeres de lanzarse sobre él, ya que estaban furiosas como arpías. Nunca he visto un cerco de rostros tan llenos de odio; y ahí, en medio, estaba el tipo, con una especie de oscura frialdad burlona; asustado, desde luego, pude darme cuenta; pero aguantando, aguantando como Satán.

—Si deciden ustedes convertir este accidente en una cosa capital —nos dijo—, no puedo, naturalmente, hacer nada. Todo caballero desea evitar las escenas. Digan la cifra.

Pues bien, le sacamos cien libras para la familia de la niña; estaba claro que a él le hubiera gustado defenderse, pero había en todos nosotros algo que indicaba malas intenciones, y, finalmente, accedió. Lo siguiente era conseguir el dinero; y ¿adónde cree usted que nos llevó? Pues a esa casa de la puerta... Sacó una llave, entró, y regresó con diez libras en oro y un cheque del banco Coutts por el resto, a pagar al portador y firmado con un nombre que no puedo mencionar, aunque sea uno de los puntos de mi historia; pero era un nombre bien conocido y a menudo impreso. La cifra era alta; pero la firma valía más que eso, si era auténtica. Me tomé la libertad de indicarle al tipo que todo aquel asunto tenía un aire apócrifo; y que, en la vida real, un hombre no entra por la puerta de un sótano a las cuatro de la mañana y vuelve con un cheque de otro hombre por cerca de cien libras. Pero él estaba muy tranquilo y sonriente.

—Estén tranquilos —dijo—; permaneceré con ustedes hasta que abra el banco, y yo mismo cobraré el cheque.

Así que nos dispusimos a esperar, el médico, el padre de la niña, aquel amigo y yo mismo, y pasamos el resto de la noche en mis habitaciones; y al día siguiente, después de desayunar, fuimos al banco como un solo hombre. Yo mismo presenté el cheque, y dije que tenía todos los motivos para creer que se trataba de una falsificación. Pues no. El cheque era auténtico.

—¡Vaya, vaya! —dijo Utterson.

—Veo que usted siente lo mismo que yo —dijo míster Enfield—. Sí es una historia desagradable. Ya que nadie podría soportar a aquel hombre, era realmente detestable; y la persona que había firmado el cheque es la decencia personificada, bastante célebre y (lo que es peor) uno de esos individuos dedicados a hacer el bien. Supuse que era un chantaje; un hombre honesto pagando un dineral por algunas de las travesuras de su juventud. Debido a esto, a ese sitio de la puerta le llamo Mansión del Chantaje. Aunque, ¿sabe?, incluso esto está lejos de explicarlo todo —añadió—; y, con esas palabras, entró en un mar de meditaciones.

Salió de ella al preguntarle bruscamente míster Utterson:

—¿Y no sabe usted si el hombre que expidió el cheque vive ahí?

—Un lugar improbable, ¿no es cierto? —contestó míster Enfield—. Pero resulta que pude saber su dirección; vive en cierta plaza.

—¿Y nunca hizo usted averiguaciones... acerca de ese sitio de la puerta? —dijo Utterson.

—No, lo consideré algo delicado —fue la respuesta—. Tengo grandes reservas en cuanto a hacer preguntas; tiene un tono muy similar al día del Juicio Final. Se desliza una pregunta, y es como si se moviera una roca. Uno está sentado tranquilamente en la cima de una colina; y allá va la roca, haciendo que otras se pongan en movimiento; y, luego, algún apacible pájaro viejo (el último ser en el que uno hubiera pensado) recibe un golpe en pleno cráneo en su propio jardín, y la familia tiene que cambiar de nombre. No, no; he hecho de esto una norma: cuanto más se parece algo a la Calle de los Líos, tantas menos preguntas hago.

—Una excelente norma, por cierto —dijo el abogado.

—Pero yo mismo he estudiado el sitio —prosiguió míster Enfield—. Apenas parece una casa. No hay ninguna otra puerta, y nadie entra ni sale por ésta, salvo, muy de vez en cuando, el caballero de mi aventura. En el piso de arriba hay tres ventanas que dan al patio; no hay ninguna en el piso inferior; las ventanas están siempre cerradas, pero limpias. Y, luego, hay una chimenea de la que sale humo habitualmente; de modo que alguien vive ahí. Pero ni esto es seguro; ya que los edificios están tan apretados unos contra otros en torno a ese patio que es difícil decir dónde termina uno y empieza otro.

Los dos hombres volvieron a caminar un rato en silencio; y, luego Utterson dijo:

—Enfield, esa norma suya es excelente.

—Sí, eso pienso —replicó Enfield.

—Pero, a todo esto —prosiguió el abogado—, quiero preguntarle algo: el nombre de aquel hombre que caminó por encima de la niña.

—Bien —dijo míster Enfield—, no veo que eso pueda causar ningún daño. Era un hombre llamado Hyde.

—Hum —dijo Utterson—. ¿Qué aspecto tiene?

—No es fácil describirlo. Hay algo falso en su apariencia; algo desagradable, algo rotundamente detestable. Nunca he visto a un hombre que me desagradara tanto y, sin embargo, apenas sabría decir por qué. Debe ser deforme en algo; produce una fuerte sensación de deformidad, aunque no podría especificar en qué. Es un hombre de aspecto realmente fuera de lo común, y, sin embargo, no podría mencionar en él nada singular. No; no acabo de formarme una idea; no puedo describirlo. Y no es por falta de memoria; pues es como si lo viera ahora mismo.

Utterson volvió a andar un rato en silencio, evidentemente bajo el peso de una cavilación.

—¿Está usted seguro de que empleó una llave? —preguntó, finalmente.

—Querido amigo... —empezó Enfield, muy sorprendido.

—Sí, ya sé —dijo Utterson—; ya sé que debe parecer extraño. Pero si no le pregunto cuál es el nombre del otro interesado es porque ya lo conozco. Ya ve usted, Richard, su relato está seguro. Si ha sido usted inexacto en algún punto, mejor será que lo corrija.

—Creo que hubiera podido usted advertirme —replicó el otro, con un dejo de resentimiento—. Pero he sido pedantemente exacto, por así decirlo. El tipo tenía una llave; es más, todavía la tiene. Le vi usarla no hará ni una semana.

Utterson suspiró profundamente, pero no dijo ni palabra; y, al cabo de poco, el joven volvió a hablar:

—He aquí otra lección para guardar silencio —dijo—. Estoy avergonzado de lo inquieto de mi lengua. Convengamos en no volver a hablar jamás de esto.

—Con todo mi corazón —dijo el abogado—. Le doy mi palabra, Richard.

EN BUSCA DE MÍSTER HYDE

AQUELLA NOCHE MÍSTER UTTERSON REGRESÓ A SU CASA DE soltero con el ánimo pesimista, y se sentó a cenar sin gusto. Los domingos, una vez terminada esa comida, acostumbraba sentarse junto al fuego, con algún seco volumen de teología en su escritorio, hasta que el reloj de la vecina iglesia diera las doce, hora en que con tranquilidad y gratitud se iba a la cama. Sin embargo, aquella noche, en cuanto quitaron el mantel, tomó una candela y se fue a su despacho. Allí abrió su caja fuerte, tomó del lugar más recóndito un documento cuyo sobre indicaba que se trataba del testamento del doctor Jekyll, y se sentó, con sombrío entrecejo, a estudiar su contenido. El testamento era de puño y letra del testador, ya que míster Utterson, aunque se había hecho cargo de él ahora que estaba hecho, se había negado a prestar la menor ayuda en su confección; el testamento disponía no sólo que, en caso de muerte de Harry Jekyll, M.D., D.C.L., LL.D., F.R.S., etcétera, todas sus propiedades debían pasar a manos de su "amigo y benefactor Edward Hyde", sino también que, en el caso de una "desaparición o ausencia inexplicada del doctor Jekyll por un periodo que excediera los tres meses", el tal Edward Hyde debía empezar a disfrutar de los bienes del referido Harry Jekyll sin más demora, libre de todo gravamen y obligación aparte del pago de una serie de pequeñas sumas a los integrantes de la ayuda doméstica del doctor. Durante mucho tiempo, la sola vista de este documento había ofendido la mirada del abogado. Le agredía lo mismo como abogado que como amante de los aspectos sensatos y normales de la vida, para quien lo extravagante era indecente. Y, hasta entonces, su desconocimiento de míster Hyde había inflamado su indignación; ahora, en un brusco giro, era su conocimiento. La cosa era ya lo bastante mala cuando aquél no era más que un nombre del que nada más podía saber. Fue peor todavía cuando empezó a cubrirse con atributos detestables; y de la bruma cambiante e inconsistente que durante tanto tiempo le había nublado la mirada surgía la súbita y definida presentación de un demonio.

—Pensé que era una locura —se dijo, mientras volvía a colocar el odioso papel en la caja fuerte—, y ahora empiezo a temer que sea una desgracia.

Con esto apagó la candela, se puso un gabán y se encaminó hacia la plaza Cavendish, aquel bastión de la medicina donde su amigo, el gran doctor Lanyon, tenía su casa y recibía a sus numerosos pacientes. "Si alguien sabe algo, ése será el doctor Lanyon", había pensado.

El solemne mayordomo le reconoció y le dio la bienvenida; no tuvo que someterse a ninguna espera, sino que se le condujo directamente de la puerta al comedor, donde el doctor Lanyon bebía vino a solas. Se trataba de un caballero cordial, saludable, apuesto, rubicundo, con una melena prematuramente blanca y unas maneras bulliciosas y decididas. Saltó de su asiento al ver a míster Utterson y le dio la bienvenida con ambas manos. La afabilidad del hombre, tenía un aire un tanto teatral, pero se basaba en sentimientos auténticos. Ya que los dos hombres eran viejos amigos, camaradas tanto de escuela elemental como universitaria; ambos tenían un profundo respeto de sí mismos y, cosa que no siempre se deriva de ello, disfrutaban profundamente de la compañía del otro.

Tras un poco de charla insulsa, el abogado entró en el tema que tan desagradablemente preocupaba a su mente.

—Me parece, Lanyon, que tú y yo debemos ser los dos amigos más viejos que tenga en estos momentos el doctor Jekyll.

—Desearía que los amigos fueran más jóvenes —dijo riendo el doctor Lanyon—. Pero supongo que sí. ¿Por qué lo dices? Ahora le veo muy poco.

—¿De veras? —dijo Utterson—. Yo creía que tenían intereses comunes.

—Los teníamos —fue la réplica—. Pero hace más de diez años que Harry Jekyll se volvió demasiado extravagante para mi gusto. Empezó a divagar, a desaprovechar su mente; y aunque, por supuesto, sigo interesándome por él en aras de los viejos tiempos, como se dice, le veo y le he visto endiabladamente poco. Esos disparates acientíficos —añadió el doctor, poniéndose de repente rojo de irritación— hubieran separado a Damon y Pitias.

Aquel pequeño arrebato de cólera significó una especie de alivio para míster Utterson. "Tan sólo han tenido desacuerdos en algún punto científico", pensó; y, siendo un hombre sin apasionamientos científicos (excepto en materia de documentos legales), añadió para sí: "¡Menos mal que sólo eso!" Concedió a su amigo algunos segundos para recuperar la compostura, y luego se aproximó a la pregunta que pensaba formular.

—¿Te has encontrado alguna vez con un protegido suyo... un tal Hyde? —preguntó.

—¿Hyde? —repitió Lanyon—. No. Nunca he oído hablar de él. Desde que lo conozco.

Esa fue toda la información que el abogado se llevó consigo a la gran cama oscura en la que se removió de un lado para otro hasta que las primeras horas de la mañana se convirtieron en altas horas. Fue una noche intranquila para su activa mente, inquieta dentro de las tinieblas y asediada de interrogantes.

Sonaron las seis en las campanas de la iglesia que estaba tan cómodamente cerca de la casa míster Utterson, y él seguía hurgando en el problema. Hasta entonces le había afectado tan sólo en el aspecto intelectual; pero ahora también su imaginación estaba comprometida o, mejor dicho, esclavizada; y, mientras seguía revolviéndose en la cama en las densas tinieblas de la noche y de la habitación encortinada, el relato de míster Enfield pasaba por su mente en una sucesión de imágenes iluminadas. Primero percibía el gran campo de luces de una ciudad nocturna; luego, la ímagen de un hombre caminando con ligereza; luego, la de una niña que venía corriendo de casa del médico; y luego se encontraban, y aquel monstruo humano atropellaba a la niña y le pasaba por encima sin hacer caso de sus gritos. O bien, veía la habitación de una lujosa casa y en ella yacía dormido su amigo, soñando y sonriendo en sus sueños; entonces se abría la puerta de aquella habitación, se apartaban las cortinas del lecho, el durmiente recuperaba el sentido y ¡ahí estaba!, a su lado, una figura que lo dominaba, e incluso a aquella hora tenía que levantarse y cumplir sus órdenes. La figura en esas dos fases atormentó al abogado durante toda la noche; y, si en algún momento dormitó, fue tan sólo para verla deslizarse todavía con mayor sigilo entre casas dormidas, o moverse cada vez más rápido, hasta el punto del vértigo, a través de los más anchos laberintos de una ciudad iluminada por farolas; y en cada esquina aplastaba a un niño y lo dejaba chillando. Pero la figura no tenía todavía un rostro que reconociera; ni siquiera en sus sueños tenía rostro, o lo tenía nebuloso y se disipaba ante su mirada; y así fue como surgió y creció en la mente del abogado una curiosidad desmesurada, singularmente intensa y casi desordenada de contemplar las facciones del auténtico míster Hyde. Pensaba que el misterio se iluminaría sólo con que pudiera verlo y, quizá, caería todo él en pedazos, como suele suceder con los misterios cuando se les examina a fondo. Podría ver una razón para la extraña preferencia o sometimiento (llámese como se quiera) de su amigo, e incluso para las asombrosas cláusulas del testamento. Y, cuanto menos, sería un rostro digno de ser visto: el rostro de un hombre sin entrañas para la piedad, un rostro al que le bastaba mostrarse para provocar, en la mente del imperturbable Enfield, una perdurable emoción de odio.

A partir de aquel momento, míster Utterson empezó a rondar por los alrededores de la puerta en la calle de las tiendas. Por la mañana, antes de las horas de oficina, por la tarde, cuando los negocios eran abundantes y el tiempo escaso, por la noche, bajo la empañada faz de la luna en la ciudad; con cualquier tipo de luz y a todas las horas de soledad o de bullicio, se podía encontrar al abogado en el puesto que había elegido.

"Si él es míster Hyde —había pensado—, yo seré elegido míster Seek".*

Y, finalmente, su paciencia fue recompensada. Era una hermosa noche sin lluvia; el aire era helado; las calles estaban tan limpias como el suelo de un salón de baile; las farolas, que ningún viento sacudía, dibujaban formas re-

---

* En inglés, Hyde se pronuncia igual que 'hide', esconder. 'Seek' significa buscar o indagar. El juego de palabras sería: Si él es el señor que se esconde, yo seré el señor que busca. (*N. del T.*)

gulares de luz y de sombra. Hacia las diez, cuando cerraron las tiendas, la calle quedó muy solitaria y, a pesar del sordo gruñido de Londres alrededor, muy silenciosa. Los pequeños ruidos se oían desde lejos; los ruidos domésticos de las casas se percibían con claridad en ambos lados de la calle, y el rumor de la aproximación de cualquier viandante le precedía un buen rato. Míster Utterson había permanecido algunos minutos en su puesto cuando percibió unas ligeras pisadas irregulares que se acercaban. En el curso de sus rondas nocturnas se había habituado, desde hacía tiempo, al curioso efecto con que de pronto se recortan en forma inequívoca las pisadas de una sola persona que está todavía a mucha distancia del vasto murmullo y la algarabía de la ciudad. Sin embargo, nunca antes había quedado su atención tan aguda y decisivamente en suspenso; y fue con una fuerte y supersticiosa previsión de éxito que se replegó en la entrada al patio.

Los pasos se aproximaron velozmente, y de repente sonaron más fuertes cuando dieron la vuelta en la esquina de la calle. El abogado, mirando hacia fuera desde la entrada, pronto pudo ver el aspecto del hombre con el que iba a vérselas. Era bajo, y sus ropas eran muy sencillas; todos sus aires, incluso a aquella distancia, de algún modo chocaron fuertemente contra las inclinaciones del centinela. Pero aquel hombre se dirigió directo a la puerta, cruzando la calzada para ganar tiempo; y, mientras se acercaba, sacó una llave de su bolsillo, como quien se aproxima a su casa.

Míster Utterson salió de su refugio y le tocó el hombro cuando pasaba.

—¿Míster Hyde, supongo?

Míster Hyde retrocedió en tanto aspiraba con un silbido. Pero su miedo fue sólo momentáneo; y, aun sin ver el rostro del abogado, respondió, con gran frialdad:

—Ese es mi nombre. ¿Qué desea usted?

—Veo que va usted a entrar —respondió el abogado—. Soy un viejo amigo del doctor Jekyll... Utterson, de la calle Gaunt. Debe usted haber oído de mí; y, ya que le encuentro tan oportunamente, pienso que quizá me permita entrar.

—No encontrará usted al doctor Jekyll; está fuera de casa —replicó míster Hyde, soplando en la llave. Y luego, súbitamente, pero todavía sin levantar la mirada—: ¿Cómo me reconoció? —preguntó.

—Por su porte —dijo míster Utterson—. ¿Quisiera hacerme usted un favor?

—Con mucho gusto —contestó el otro—. ¿De qué se trata?

—¿Me permite ver su rostro? —inquirió el abogado.

Míster Hyde pareció titubear; y luego, después de una súbita reflexión, se le encaró con un aire de desafío; y ambos se miraron con fijeza durante unos segundos.

—Ahora podré reconocerlo —dijo míster Utterson—. Puede ser útil.

—Sí —replicó míster Hyde—; es bueno que nos hayamos conocido; y, a propósito, voy a darle mi dirección.

Y le dio el número de una calle del Soho.

"¡Santo Cielo! —pensó míster Utterson—. ¿Es posible que él también haya estado pensando en el testamento?"

Pero se guardó sus ideas, y tan sólo emitió un gruñido de agradecimiento por la dirección.

—Y, ahora —dijo el otro—, ¿cómo me ha reconocido?

—Por descripción —fue la respuesta.

—¿Qué descripción?

—Tenemos amigos comunes —dijo míster Utterson.

—¡Amigos comunes! —repitió míster Hyde, con cierta brusquedad—. ¿Quiénes son?

—Jekyll, por ejemplo —dijo el abogado.

—Él nunca le ha hablado de mí —gritó míster Hyde, en un arrebato de ira—. No pensé que usted mintiera.

—¡Vamos! —dijo míster Utterson—. Ese no es un lenguaje correcto.

El otro emitió una risa burlona y desacompasada; y, al cabo de un instante, con extraordinaria rapidez, había abierto la puerta y desaparecido dentro de la casa.

El abogado permaneció inmóvil durante un rato, después de que míster Hyde lo dejara, como la viva imagen de la desazón. Luego empezó a remontar lentamente la calle, deteniéndose cada uno o dos pasos y llevándose la mano al entrecejo, como un hombre mentalmente azorado. El problema que debatía mientras caminaba era de los que raramente se resuelven. Mister Hyde era pálido y muy bajo; producía una impresión de deformidad sin ninguna malformación precisa, tenía una sonrisa desagradable, se había enfrentado al abogado con una combinación criminal de timidez y descaro, y hablaba con una voz ronca, susurrante y un tanto quebrada... Todo eso eran puntos en su contra; pero todos ellos no explicaban la repugnancia, la aversión y el miedo, hasta entonces desconocidos, que míster Utterson había percibido.

"Debe ser otra cosa —decía el perplejo caballero—. *Hay* algo más, aunque no puedo nombrarlo. ¡Dios me proteja! ¡Ese hombre apenas parece humano! ¿Algo como troglodítico, quizá? ¿No podría ser la vieja historia del doctor Fell? ¿O quizá la irradiación de un alma sucia que transpira por su rostro de fango y lo transfigura de ese modo? Esto último, creo; porque, ¡oh, mi pobre camarada Harry Jekyll! ¡Si alguna vez he leído la huella de Satán en un rostro, ha sido en el de tu nuevo amigo!

Doblando la esquina, en la calle contigua, había un bloque de viejas y hermosas casas, ahora, en su mayoría, olvidadas de su alta situación, alquiladas en pisos y habitaciones a hombres de todas las clases: grabadores de mapas, arquitectos, abogados no confiables y agentes de oscuras empresas. Sin embargo, una casa, la segunda desde la esquina, estaba aún habitada completa; y míster Utterson se detuvo frente a su puerta, que tenía un aire de gran riqueza y bienestar, aunque ahora estaba sumida en las tinieblas, excepto por una luz en abanico, y llamó. Un anciano criado bien vestido abrió la puerta.

—¿Está en casa el doctor Jekyll, Poole? —preguntó el abogado.

—Iré a ver, míster Utterson —dijo Poole, dejando entrar al visitante, mientras hablaba, en una sala acogedora y enorme, de techo bajo, con suelo de baldosas, calentada (como una casa de campo) por un gran fuego brillante, y amueblada con costosas vitrinas de roble.

—¿Desea esperar aquí, junto al fuego, señor? ¿O le enciendo una lámpara en el comedor?

—Aquí, gracias —dijo el abogado; y, acercándose al fuego, se apoyó en la pantalla de la chimenea. Aquella sala, en la que ahora se había quedado solo, era la fantasía predilecta de su amigo el doctor; y el propio Utterson solía referirse a ella como la habitación más agradable de Londres. Pero aquella noche su sangre estaba agitada; el rostro de Hyde se había incrustado pesadamente en su memoria; sentía (cosa rara en él) náusea y disgusto por la vida; y, en las tinieblas de su espíritu, le parecía leer una amenaza en los resplandores del fuego sobre las pulidas vitrinas y en la inquieta ondulación de la sombra del techo. Le avergonzó su alivio cuando Poole regresó y le anunció que el doctor Jekyll había salido.

—He visto a míster Hyde entrar por la vieja sala de disecciones, Poole —dijo—. ¿Está eso bien, estando ausente el doctor Jekyll?

—En efecto, míster Utterson —replicó el criado—. Míster Hyde tiene una llave.

—Su amo parece depositar una enorme confianza en ese joven, Poole —continuó el otro, pensativo.

—Sí, señor, así es —dijo Poole—. Todos tenemos órdenes de obedecerle.

—No recuerdo haberme encontrado nunca con míster Hyde —dijo Utterson.

—Sin duda no, señor. Jamás *cena* aquí —replicó el mayordomo—. A decir verdad, le vemos muy raras veces por esta parte de la casa; casi siempre entra y sale por el laboratorio.

—Bien, Poole. Buenas noches.

—Buenas noches, míster Utterson.

Y el abogado se dirigió hacia su casa con el corazón oprimido.

"Pobre Harry Jekyll —pensaba—; ¡mis pensamientos me hacen temer que se encuentre en aguas profundas! Era irreflexivo de joven; hace mucho tiempo, desde luego; pero en la ley de Dios no existe una norma de limitaciones. ¡Ah! Debe ser eso: el fantasma de algún viejo pecado, el cáncer de alguna desgracia oculta; el castigo que llega, *pede claudo,* años después de que la memoria ha olvidado y el amor propio perdonado la falta."

Y el abogado, atemorizado por la idea, dio vueltas durante un rato a su propio pasado, hurgando en todos los rincones de la memoria por si acaso alguna vieja iniquidad saltaba de alguna caja de sorpresas y se encendía. Su propio pasado estaba bastante limpio de culpas; pocos hombres podrían leer los pergaminos de su vida con menos aprensiones; sin embargo, se sentía humillado contra el polvo por los numerosos errores que había cometido, y elevado de nuevo a una sobría y temerosa gratitud por aquellos que había rondado y evitado. Y, luego, volviendo a su tema principal, concibió una chispa de esperanza.

"Este míster Hyde, si se le estudiara —pensó—, debe tener sus propios secretos: secretos oscuros, a juzgar por su aspecto; secretos que si se comparan con los peores del pobre Jekyll, éstos resultan como la luz del sol. Las cosas no pueden continuar así. Siento escalofrío de pensar en esa criatura deslizándose como un ladrón junto a la cabecera de Harry; ¡pobre Harry, vaya forma de despertar! ¡Y el peligro que representa! Porque si ese Hyde sospecha la existencia del testamento, puede sentirse impaciente por heredar. ¡Sí! Debo meterme donde no me llaman... Si al menos Jekyll me lo permitiera —añadió—, si tan solo Jekyll me lo permitiera."

Y una vez más vio, ante la mirada de su mente, con toda claridad y transparencia, las extrañas cláusulas del testamento.

EL DOCTOR JEKYLL ESTABA
COMPLETAMENTE A GUSTO

DOS SEMANAS DESPUÉS, POR UNA SINGULAR BUENA FORTUNA, EL doctor ofreció una de sus agradables cenas para cinco o seis viejos compañeros, todos ellos hombres inteligentes y reputados, y todos buenos jueces del buen vino. Míster Utterson se las arregló para quedarse cuando todos los demás ya se habían marchado. Eso no era algo nuevo, sino que había ya sucedido numerosas ocasiones. Cuando a Utterson se le apreciaba, se le apreciaba a fondo. Los huéspedes gustaban de retener al seco abogado cuando los despreocupados y los de lengua suelta tenían ya un pie en el umbral; les gustaba permanecer un rato sentados en su discreta compañía, ejercitándose para la soledad y sosegando la mente en el magnífico silencio de aquel hombre después de las tensiones de la diversión. El doctor Jekyll no constituía una excepción a esta regla; y ahora, mientras estaba sentado en el lado opuesto de la chimenea —era un hombre robusto, de unos cincuenta años, de buena presencia y fino rostro, con cierto airecillo taimado, pero con todos los signos de la capacidad y la amabilidad—, se veía a las claras que mantenía hacia míster Utterson un sincero y cálido afecto.

—Quería hablar contigo, Jekyll —dijo al fin—. Ese testamento tuyo, ¿sabes?

Un observador atento se hubiera dado cuenta de que el tema no era bien acogido; pero el doctor reaccionó alegremente.

—Mi buen Utterson —dijo—, tienes mala suerte con semejante cliente. Nunca he visto a un hombre tan afligido como tú ante mi testamento; como no sea ese pedante chapado a la antigua de Lanyon ante lo que él llamaba mis herejías científicas. ¡Oh! Ya sé que es un buen tipo, no hace falta que frunzas el ceño; un tipo excelente, y siempre he tenido de él la mejor opinión; pero aun así es un pedante chapado a la antigua; un pedante ignorante y escandaloso. Ningún hombre me ha decepcionado tanto como Lanyon.

—Ya sabes que nunca lo he aprobado —prosiguió Utterson, haciendo caso omiso, implacablemente, del nuevo tema.

—¿Mi testamento? Sí, desde luego, ya lo sé —dijo el doctor, en forma un tanto cortante—. Ya me lo habías dicho.

—Bien, pues te lo digo una vez más —prosiguió el abogado—. Me he enterado de algunas cosas respecto del joven Hyde.

El ancho y hermoso rostro del doctor Jekyll empalideció hasta los labios, y algo sombrío apareció en su mirada.

—No deseo oír nada más —dijo—. Creía que habíamos acordado dejar de lado este tema.

—Lo que he oído es abominable —dijo Utterson.

—No puedo cambiar nada. No entiendes mi situación —replicó el doctor, con una cierta incoherencia en sus maneras—. Estoy en una posición difícil, Utterson; mi situación es muy extraña... muy extraña. Es uno de esos asuntos que no se arreglan hablando.

—Jekyll —precisó Utterson—, me conoces: soy un hombre en quien se puede confiar. Explícamelo todo confidencialmente; y no me cabe duda de que te sacaré de esto.

—Mi buen Utterson —dijo el doctor—, esto es muy amable de tu parte, sinceramente muy amable, y no encuentro palabras para agradecerte. Confío en ti por completo; confiaría en ti por encima de todo hombre viviente, sí, por encima de mí mismo, si a esas vamos; pero de veras que el asunto no es lo que te imaginas; no es nada tan malo como eso; y, tan sólo para dejarte tranquilo, te voy a contar una cosa: en el momento en que yo lo desee, puedo librarme de míster Hyde. Te doy mi palabra al respecto; y vuelvo a darte las gracias; y tan sólo añadiré una frase, Utterson, y estoy seguro de que te la tomarás a bien: se trata de un asunto privado, y te ruego que lo olvides.

Utterson reflexionó un rato, mirando el fuego.

—No me cabe duda de que tienes toda la razón —dijo, finalmente, poniéndose en pie.

—Bien; pero puesto que hemos tocado este asunto, y por última vez, espero —prosiguió el doctor—, hay un punto que me gustaría que comprendieras. Tengo realmente un enorme interés por el pobre Hyde. Sé que le has visto; él me lo ha dicho; y me temo que fue brusco. Pero realmente tengo un gran interés, un grandísimo interés en ese joven; y si yo desaparezco, Utterson, deseo que me prometas que lo soportarás y que protegerás sus derechos. Creo que lo harías, si lo supieras todo; y me quitarías un peso de encima si me lo prometieras.

—No puedo fingir que alguna vez llegue a agradarme —dijo el abogado.

—No te pido eso —rogó Jekyll, poniendo una mano en el brazo del otro—; sólo pido justicia; sólo te pido que lo ayudes por mi amistad, cuando yo ya no esté.

Utterson exhaló un suspiro irrefrenable.

—Muy bien —dijo—, te lo prometo.

EL CASO DEL ASESINATO DE CAREW

CERCA DE UN AÑO DESPUÉS, EN EL MES DE OCTUBRE DE 18...,
Londres quedó pasmada por un crimen de singular ferocidad, que adquiría mayor relevancia por la alta posición
de la víctima. Los detalles eran escasos y aterradores. Una
sirvienta que vivía sola en una casa no lejos del río había
subido las escaleras para irse a dormir hacia las once. Aunque la bruma cubría la ciudad desde temprano, el comienzo
de la noche era sin nubes, y la callejuela a la que daba la
ventana de la muchacha estaba brillantemente iluminada
por la luna llena. Al parecer, la muchacha estaba en vena
romántica; ya que se sentó sobre su baúl, que estaba justo
bajo la ventana, y se sumió en un ensueño reflexivo. Nunca
(solía decir, con los ojos empañados, cuando narraba la
experiencia), nunca se había sentido más en paz con todos
los hombres, o había tenido mejor opinión del mundo.
Y, mientras estaba allí sentada, observó a un caballero de
edad, de buen porte, de cabello cano, que se acercaba caminando por la callejuela; y, avanzando a su encuentro, a
otro caballero de muy corta estatura a quien, al principio,
prestó menos atención. Cuando estuvieron a distancia de
una conversación (lo que sucedió justo debajo de don-

de estaba la muchacha), el hombre mayor hizo una inclinación de cabeza y abordó al otro con unos modales llenos de exquisita cortesía. No parecía que el tema abordado fuera de gran importancia; a decir verdad, por sus ademanes, parecía que tan sólo estuviera preguntando una dirección; pero la luna brilló en su rostro mientras hablaba, y a la muchacha le agradó verlo, porque parecía emanar un inocente comedimiento a la antigua, pero con un no sé qué orgulloso que parecía proceder de una tranquilidad bien fundada. En ese punto, su mirada se volvió hacia el otro, y le sorprendió reconocer en él a cierto míster Hyde que, en cierta ocasión, había visitado a su amo, y por quien había sentido un fuerte desagrado. Llevaba en la mano un pesado bastón con el que jugueteaba; pero no respondía ni palabra, y parecía escuchar con una impaciencia mal contenida. Y luego, de repente, dio paso a un estallido de ira, se puso a patalear, a blandir su bastón y a vociferar (según la descripción de la muchacha) como un loco. El anciano caballero retrocedió un paso, con el aspecto de sentirse muy sorprendido y un poco ofendido; y, en ese momento, míster Hyde, ya totalmente fuera de sus casillas, le derribó a garrotazos contra el suelo. Y, apenas un instante después, con una furia simiesca, se puso a pisotear a su víctima y a lanzarle una tormenta de golpes bajo los cuales se oían crujir los huesos al romperse mientras el cuerpo rebotaba sobre la calzada. Con el horror de aquellas imágenes y sonidos, la muchacha se desmayó.

Eran las dos de la madrugada cuando volvió en sí y llamó a la policía. El asesino se había ido hacía rato; pero ahí yacía su víctima, en medio de la calle, increíblemente desfigurada. El bastón con que se había cometido el crimen, aunque era de cierta madera rara, muy densa y resistente, se había roto por la mitad bajo el ímpetu de aquella crueldad insensata; y una porción astillada había rodado a la cuneta, mientras que la otra, sin ninguna duda, se la había llevado el asesino. Se encontraron sobre la víctima una bolsa y un reloj de oro; pero ninguna tarjeta o documento, salvo un sobre cerrado y sellado, que probablemente llevaba al correo, y que llevaba el nombre y la dirección de míster Utterson.

Este sobre fue entregado al abogado la mañana siguiente, antes de que hubiera salido de la cama; y, apenas lo hubo visto y le hubieron narrado las circunstancias, manifestó con expresión solemne.

—No diré nada hasta que haya visto el cuerpo —dijo—; esto puede ser muy grave. Tengan la amabilidad de esperar mientras me visto.

Y, con la misma expresión austera, tomó de prisa su desayuno y se dirigió en coche a la comisaría de policía a la que habían trasladado el cuerpo. En cuanto entró en la celda, asintió con la cabeza.

—Sí —dijo—, le reconozco. Lamento decir que se trata de Sir Danvers Carew.

—¡Santo Cielo, señor! —exclamó el oficial—. ¿Será posible?

Y, a los pocos instantes, su mirada se iluminó con ambición profesional.

—Esto levantará mucho ruido —dijo—. Y quizá pueda usted ayudarnos a encontrar al hombre.

Y, brevemente, narró lo que la muchacha había visto, y mostró el bastón roto.

Míster Utterson ya había temblado ante el nombre de Hyde; pero cuando le pusieron enfrente el bastón no pudo seguir dudando: aunque estaba roto y astillado, reconoció el que él mismo había regalado varios años antes al doctor Harry Jekyll.

—¿Es este míster Hyde una persona de corta estatura? —inquirió.

—Particularmente pequeño, y de un aire notablemente maligno; así lo describe la muchacha —dijo el oficial.

Míster Utterson reflexionó; y, luego, alzando la cabeza, dijo:

—Si quiere usted acompañarme en mi coche, creo que podré llevarlo a su casa.

Entonces eran como las nueve de la mañana, y aparecían las primeras brumas de la estación. Un enorme velo pardusco cubría el cielo, pero el viento acometía continuamente, dispersando sus vapores enemigos; de modo que, mientras el coche se arrastraba de calle en calle, míster Utterson pudo contemplar una maravillosa diversidad de grados y matices de claroscuros; pues en un momento se veía oscuro como lo más profundo de la noche, y después aparecía un resplandor de ricos marrones llamativos, como las luces de un extraño incendio; y, ahí, por un momento, la niebla se desgarraba por completo; y un maciliento haz de luz diurna asomaba entre las fluctuantes volutas de bruma. El deprimente barrio del Soho, visto bajo esos aspectos cambiantes, con sus calles fangosas, sus desaseados viandantes y sus farolas, que no habían sido apagadas ni encendidas de nuevo para combatir la nueva invasión de las tinieblas, parecía, a los ojos del abogado, como un distrito de alguna ciudad de pesadilla. Los pensamientos en su mente eran, además, del tono más siniestro; y, cuando miraba a su acompañante en aquel trayecto, tenía conciencia de ese terror a la ley y a sus representantes que, en ocasiones, asalta a los más honrados... Cuando ya el coche estaba cerca de la dirección indicada, la bruma se apartó un poco y le mostró una calle sucia, una taberna, una casa de comidas francesa barata, una tienda de venta al por menor de baratijas de a penique, muchos niños harapientos amontonados en los portales, y muchas mujeres de distintas nacionalidades saliendo a la calle, con las llaves en la mano, para tomar un trago matutino; y, en un momento, la bruma volvió a caer sobre aquel sitio, parda como la tierra, aislándolo de aquellos sospechosos entornos. Aquel era el hogar del protegido de Harry Jekyll, de un hombre que era el heredero de un cuarto de millón de libras.

Abrió la puerta una mujer anciana de rostro marfileño y cabello plateado. Tenía una cara maligna, suavizada por la hipocresía; pero sus modales eran excelentes. Sí, les dijo; era la casa de míster Hyde, pero él no estaba; había estado por la noche, ya muy tarde, pero había vuelto a irse en menos de una hora. No había nada extraño en ello; sus costumbres eran muy irregulares, y estaba ausente muy a menudo; por ejemplo, habían pasado cerca de dos meses que no le había visto hasta la noche anterior.

—Muy bien; entonces, desearíamos ver sus habitaciones —dijo el abogado; y, cuando la mujer empezaba a declarar que era imposible, añadió—: Mejor será que le diga quién es esta persona; es el inspector Newcomen, de Scotland Yard.

Un destello de odiosa alegría cruzó el rostro de la mujer.

—¡Ah! —dijo—. ¡Tiene problemas! ¿Qué es lo que ha hecho?

Míster Utterson y el inspector intercambiaron una mirada.

—No parece una personaje muy popular —observó el último—. Y ahora, mi querida señora, permita que este caballero y yo echemos una ojeada por ahí.

De toda la casa, que estaba vacía, salvo por la anciana, míster Hyde empleaba tan sólo un par de habitaciones; pero éstas estaban amuebladas con lujo y buen gusto. Había un armario repleto con vinos; la vajilla era de plata, la mantelería elegante; colgaba de la pared una buena pintura, regalo (según supuso Utterson) de Harry Jekyll, que conocía bastante al respecto; y las alfombras tenían tejidos diversos y colores agradables. Sin embargo, en aquel momento las habitaciones tenían todas las señales de haber sido registradas reciente y apresuradamente; había prendas de vestir por el suelo, con los bolsillos vueltos; los cajones con cerraduras estaban abiertos; y en el suelo había un montón de cenizas grises, como si hubieran quemado muchos papeles. Entre aquellos restos el inspector desenterró el extremo de una libreta de cheques de color verde, que había resistido la acción del fuego; la otra mitad del bastón fue encontrada detrás de la puerta; y, con sus sospechas confirmadas de este modo, el oficial se declaró satisfecho. Una visita al banco, donde averiguó que había varios miles de libras en la cuenta del asesino, completaron su contento.

—Puede apostar a ello, señor —dijo a míster Utterson—. Le tengo en mis manos. Debe haber perdido la cabeza, porque si no jamás hubiera abandonado el bastón ni, menos aún, quemado la libreta de cheques. Y es que el dinero es la vida para ese hombre. Lo único que tenemos que hacer para atraparlo es esperarle en el banco.

Esto, sin embargo, no era tan fácil de efectuar; ya que míster Hyde frecuentaba a muy poca gente: incluso el amo de la criada le había visto tan sólo dos veces; no se encontraron en ninguna parte rastros de su familia; nunca había sido fotografiado; y los pocos que podían describirle divergían ampliamente, como suele ocurrir con los observadores comunes. Sólo en un punto coincidían: en la obsesiva sensación de inexpresada deformidad que impresionaba a todos los que lo veían.

EL INCIDENTE DE LA CARTA

LA TARDE YA ESTABA MUY AVANZADA CUANDO MÍSTER UTTERSON dirigió sus pasos hacia la puerta del doctor Jekyll, donde Poole lo admitió de inmediato y lo condujo, a través de la cocina y de un patio que en otro tiempo había sido un jardín, al edificio conocido indistintamente como laboratorio o sala de disección. El doctor había comprado la casa a los herederos de un célebre cirujano; y, como sus gustos eran más químicos que anatómicos, le había dado otro uso a la edificación del fondo del jardín. Era la primera vez que el abogado era recibido en aquella parte de los alojamientos de su amigo; contempló con curiosidad la sucia estructura sin ventanas, miró a su alrededor, con una desagradable sensación de extrañeza, aquel anfiteatro en otra época atestado de estudiantes impacientes y que ahora permanecía solitario y silencioso, con las mesas colmadas de aparatos de química, el suelo sembrado de cestos y cubierto de paja de embalaje, mientras una luz triste caía desde la brumosa cúpula. Al otro extremo, un tramo de escaleras subía hasta una puerta forrada de rojo; y, después de atravesarla, míster Utterson fue por fin recibido en el despacho del doctor. Era una amplia habitación, con armarios de vidrio todo alrededor, amueblada, entre otras cosas, con un espejo de vestir y una mesa de despacho; daba al patio por tres ventanas polvorientas con barras de hierro. Ardía el fuego en la parrilla; había una lámpara encendida sobre la repisa de la chimenea, ya que incluso en el interior de las casas empezaba a acumularse la espesa bruma; y allí, junto al calor, estaba sentado el doctor Jekyll, con un semblante mortalmente perturbado. No se puso en pie para recibir a su visitante, sino que le tendió una fría mano y le dio la bienvenida con la voz alterada.

—Y ahora —dijo míster Utterson, en cuanto Poole los dejó solos—, ¿has oído las noticias?

El doctor se estremeció.

—Lo voceaban en la plaza —dijo—. Lo oí desde el comedor.

—Quiero decirte algo —dijo el abogado—. Carew era cliente mío, pero también lo eres tú; y quiero conocer el terreno que estoy pisando. ¿No habrás sido lo bastante insensato para ocultar a ese tipo?

—Utterson, juro por Dios —gritó el doctor—, juro por Dios que nunca volveré a poner la mirada en él. Te doy mi palabra de honor que he terminado con él en este mundo. Todo ha terminado. Y, a decir verdad, él no necesita mi ayuda; tú no le conoces como yo; está a salvo, totalmente a salvo; recuerda mis palabras: jamás volverá a saberse de él.

El abogado escuchó sombríamente; no le gustaban las maneras febriles de su amigo.

—Pareces muy seguro respecto a él —dijo—; y, por tu bien, espero que tengas razón. Si la cosa llega a juicio, tu nombre aparecería.

—Estoy absolutamente seguro respecto a él —replicó Jekyll—; tengo bases, una certeza que no puedo compartir con nadie. Pero hay una cosa en la que podrías aconsejarme. He... he recibido una carta y estoy confundido en cuanto a si mostrársela a la policía. Me gustaría ponerla en tus manos, Utterson; tú juzgarías con prudencia, estoy seguro; confío plenamente en ti.

—¿Temes, según creo, que pueda conducir a su localización? —preguntó el abogado.

—No —dijo el otro—. No puedo decir que me importe lo que ocurra con Hyde; he terminado por completo con él. Estaba pensando en mi propia persona, que con este odioso asunto ha quedado un tanto expuesta.

Utterson reflexionó unos momentos; el egoísmo de su amigo le sorprendía, pero, al mismo tiempo, le aliviaba.

—Bien —dijo, finalmente—, déjame ver la carta.

La carta estaba escrita con unos extraños trazos verticales, la firma decía "Edward Hyde"; y comunicaba, muy brevemente, que el benefactor del remitente, el doctor Jekyll, a quien, durante mucho tiempo, había pagado tan mal sus miles de generosidades, no tenía que preocuparse por su seguridad, porque disponía de medios para la huida en los que tenía una plena confianza. Al abogado le gustó bastante esa carta: arrojaba una luz más favorable sobre la intimidad que había imaginado, y se censuró a sí mismo por algunas de sus sospechas anteriores.

—¿Tienes el sobre? —preguntó.

—Lo he quemado —replicó Jekyll—, sin pensar en lo que hacía. Pero no llevaba ningún matasellos. La nota fue entregada a mano.

—¿Puedo conservar esto y meditar el asunto? —preguntó Utterson.

—Deseo que juzgues por mí enteramente —fue la respuesta—; he perdido la confianza en mí mismo.

—Bien, lo pensaré —repuso el abogado—. Y ahora, otra cosa: ¿fue Hyde el que te impuso aquella cláusula en tu testamento relativa a tu desaparición?

El doctor parecía presa de un ataque de desfallecimiento; mantuvo la boca cerrada, y asintió con la cabeza.

—Lo sabía —dijo Utterson—. Pretendía asesinarte. Te has escapado de una buena.

—He conseguido algo más que eso —replicó el doctor, solemnemente—: He recibido una lección... ¡Oh, Dios! ¡Utterson, qué lección he recibido! —y se cubrió el rostro con las manos durante unos instantes.

Mientras salía, Utterson se detuvo y cruzó unas palabras con Poole.

—A propósito —dijo—, hoy han entregado una carta: ¿qué aspecto tenía el mensajero?

Pero Poole fue categórico en el sentido de que no había llegado nada aparte del correo.

—Y, por lo demás, sólo circulares —añadió.

Estas nuevas reavivaron los temores del visitante. Era evidente que la carta había llegado a través de la puerta del laboratorio; era posible incluso que hubiera sido escrita en el despacho; y, de ser así, había que juzgarla de otro modo, y tenía que manejarse con la mayor precaución. Los vendedores de periódicos, cuando salió a la calle, iban gritando, roncamente, por las aceras:

—¡Edición especial! Horrible asesinato de un miembro del parlamento.

Esa era la oración fúnebre de un amigo y cliente; y no podía evitar cierto miedo a que el buen nombre de otro quedara atrapado por los remolinos del escándalo. La decisión que debía tomar era, cuando menos, delicada; y, pese a tener el hábito de confiar en sí mismo, empezó a alentar un anhelo de consejo. No podía obtenerlo directamente; pero tal vez, pensó, podría pescarlo al vuelo.

Poco después, estaba sentado a un lado de su propia chimenea, con su secretario principal, míster Guest, al otro lado, y, entre ambos, a una distancia bien calculada del fuego, una botella de un vino añejo especial que durante largo tiempo había reposado al abrigo del sol en el sótano de la casa. La bruma seguía suspendida sobre la ciudad sumergida, donde las lámparas destellaban como rubíes; y, a través del amortiguamiento y la suciedad de esas nubes caídas, el curso de la vida de la ciudad seguía rodando a través de las grandes arterias con el sonido de un viento poderoso. Pero la habitación se veía alegre por la buena iluminación. En la botella, los ácidos se habían disuelto hacía mucho; el tinte imperial se había suavizado con el tiempo, del mismo modo que los colores se enriquecen en los vidrios de colores; y el resplandor de las tardes cálidas de otoño en los viñedos de las colinas estaba a punto para liberarse y dispersar las brumas de Londres. En forma imperceptible, el abogado se fue aplacando. No existía hombre con el que tuviera menos secretos que con míster Guest; y no siempre estaba seguro de guardar todos los que pretendía. Guest había hecho muchas visitas profesionales al doctor; conocía a Poole; difícilmente habría dejado de notar la familiaridad de míster Hyde con aquella casa; podía sacar conclusiones: ¿no era conveniente, pues, que viera una carta que ponía orden en aquel misterio? ¿Teniendo en cuenta, sobre todo, que siendo Guest un gran estudioso y crítico de la caligrafía, podía considerar que aquel paso era natural y consecuente? El secretario, además, era un hombre digno de ser escuchado; difícilmente leería aquel extraño documento sin aportar alguna observación; y, por ese comentario, míster Utterson podría guiar sus pasos ulteriores.

—Es un triste asunto ese de Sir Danvers —dijo.

—Sí, señor, desde luego. Ha acaparado buena parte del interés de la gente —repuso Guest—. Ese hombre, sin duda, estaba loco.

—Me gustaría conocer su punto de vista respecto a esto —replicó Utterson—: tengo aquí un documento de su puño y letra; esto que quede entre nosotros, porque prácticamente no sé qué hacer con todo; lo menos que puede decirse es que es un asunto desagradable. Aquí lo tiene; revíselo con calma: el autógrafo de un asesino.

Los ojos de Guest se iluminaron, y se puso de inmediato a estudiar aquello con gran concentración.

—No, señor —dijo—; no está loco; pero tiene un trazo curioso.

—Y, desde todo punto de vista, es un escritor singular —añadió el abogado.

En aquel preciso momento entró el criado con una nota.

—¿Es del doctor Jekyll, señor? —preguntó el secretario—. Creo reconocer la letra. ¿No será algo privado, míster Utterson?

—Tan sólo una invitación a cenar. ¿Por qué? ¿Desea usted verla?

—Un momento. Gracias, señor —y el secretario puso juntas las dos hojas de papel, comparando diligentemente su contenido—. Gracias, señor —dijo, por fin, devolviendo ambas hojas—. Es un autógrafo muy interesante.

Hubo una pausa, durante la cual míster Utterson luchó consigo mismo.

—¿Por qué las ha comparado, Guest? —preguntó, en forma abrupta.

—Bien, señor —replicó el secretario—, es que hay un parecido bastante singular; las dos formas de escribir son idénticas en muchos puntos; sólo la inclinación es distinta.

—Bastante singular —dijo Utterson.

—Sí, como usted dice, es bastante singular —replicó Guest.

—Yo no quisiera hablar de esta nota, ¿comprende? —dijo el amo.

—No, señor —dijo el secretario—. Entiendo.

Pero en cuanto míster Utterson se quedó solo aquella noche, encerró la nota en su caja fuerte, donde descansó a partir de entonces.

"¡Cómo! —pensó—. ¡Harry Jekyll haciendo una falsificación por un asesino!"

Y se le heló la sangre en las venas.

EL EXTRAÑO INCIDENTE OCURRIDO
AL DOCTOR LANYON

TRANSCURRIÓ EL TIEMPO; SE OFRECIERON MILES DE LIBRAS DE recompensa, ya que la muerte de Sir Danvers fue considerada como un insulto público; pero míster Hyde había desaparecido, fuera del alcance de la policía, como si jamás hubiera existido. No obstante, se desenterró una buena parte de su pasado, y todo ello era poco edificante: se contaban historias de la crueldad de aquel hombre al mismo tiempo duro y violento; de su existencia vil, de sus extraños asociados, del odio que parecía envolver su carrera; pero de su actual paradero, ni una palabra. Desde el momento en que había abandonado su casa en el Soho, la mañana del crimen, sencillamente se había esfumado; y, poco a poco, a medida que corrió el tiempo, míster Utterson empezó a recobrarse del ardor de la inquietud y a estar más en paz consigo mismo. La muerte de Sir Danvers estaba, según su modo de pensar, más que pagada por la desaparición de míster Hyde. Ahora que esa mala influencia se había alejado, comenzaba una nueva vida para el doctor Jekyll. Salía de su encierro, reanudaba las relaciones con sus amigos, se convertía una vez más en su familiar huésped y anfitrión; y, así como siempre había destacado por su caridad, ahora le distinguía no menos su religiosidad. Estaba activo, salía mucho al aire libre, hacía el bien; su rostro parecía más abierto y brillante, como si su conciencia lo impulsara a servir; y, durante más de dos meses, el doctor estuvo en paz.

El 8 de enero, Utterson había cenado en casa del doctor con algunos invitados más; Lanyon había acudido; y el rostro del anfitrión se había vuelto hacia ambos, como en los viejos tiempos, cuando eran un trío de amigos inseparables. El día 12, y de nuevo el 14, el abogado se encontró con la puerta cerrada para él.

—El doctor está encerrado en casa —decía Poole—, y no recibe a nadie.

El día 15 repitió el intento, y de nuevo se le negó la entrada; y, como durante los dos últimos meses se había vuelto a habituar a ver a su amigo casi a diario, esta vuelta a la soledad pesó mucho en su ánimo. La quinta noche invitó a Guest a cenar con él; y, la sexta, se fue a ver al doctor Lanyon.

Aquí, al menos, no le negaban la admisión; pero cuando entró le causó una gran impresión el cambio que se había producido en el aspecto del doctor. Tenía la sentencia de muerte escrita en el rostro. Aquel hombre de rostro rubicundo se había vuelto pálido; había adelgazado hasta los huesos; estaba notoriamente más calvo y más viejo; y, sin embargo, esos signos de una veloz decadencia física no atrajeron la atención del abogado tanto como cierta mirada y ciertos modales que parecían corroborar un terror profundamente arraigado en su mente. Era improbable que el doctor temiera a la muerte; y, sin embargo, era eso lo que Utterson se inclinaba a sospechar.

"Sí —pensó—; es un médico, debe conocer su propio estado y saber que sus días están contados; y el saber esto es más de lo que puede soportar."

Y, sin embargo, cuando Utterson hizo una observación sobre su mal aspecto, Lanyon declaró ser un hombre condenado con un tono muy firme.

—He sufrido un golpe —dijo—, y no me recobraré. Es cuestión de semanas. Bien, la vida ha sido agradable; me ha gustado; sí, señor, me gustaba. Pienso a veces que, si lo conocemos todo, nos resulta más agradable desaparecer.

—También Jekyll está enfermo —observó Utterson—. ¿Le has visto?

Pero el rostro de Lanyon cambió, y alzó una mano temblorosa.

—No quiero volver a ver ni oír nada del doctor Jekyll —dijo, con voz fuerte e insegura—. He terminado por completo con esa persona; y te ruego que me ahorres toda alusión a alguien a quien considero muerto.

—Vaya, vaya —dijo míster Utterson; y luego, tras una larga pausa—: ¿Puedo hacer yo algo? —preguntó—. Somos tres viejos amigos, Lanyon; no viviremos lo suficiente para cultivar otras amistades.

—Nada puede hacerse —replicó Lanyon—; pregúntale a él.

—No me recibe —dijo el abogado.

—Eso no me sorprende —fue la réplica—. Algún día, Utterson, después de que yo haya muerto, quizá llegues a conocer el derecho y el revés de todo esto. Yo no puedo decírtelo. Y, mientras tanto, si puedes quedarte a hablar conmigo de otras cosas, por el amor de Dios, quédate y hazlo; pero si no puedes dejar de lado ese maldito tema, entonces, por el amor de Dios, vete, porque yo no puedo soportarlo.

En cuanto llegó a su casa, Utterson se puso a escribirle a Jekyll, quejándose de su exclusión de la casa y preguntándole los motivos de su desdichada ruptura con Lanyon. Al día siguiente recibió una larga respuesta, por momentos con frases patéticas, y en ocasiones con giros tenebrosos y misteriosos. La riña con Lanyon era irremediable.

—No censuro a nuestro viejo amigo —escribía Jekyll—, pero comparto su punto de vista en cuanto a que no volvamos a vernos. Deseo, de aquí en adelante, llevar una vida de total aislamiento; no debes sorprenderte, no debes dudar de mi amistad, si mi puerta está a menudo cerrada para ti. Debes admitir que yo siga mi propio y tenebroso camino. He atraído sobre mí mismo un castigo y un peligro que no puedo nombrar. Soy el mayor de los pecadores, y soy también el mayor de los penitentes. No podía concebir que esta tierra contuviera un lugar de sufrimientos y terrores tan inhumanos; y sólo puedes hacer una cosa, Utterson, para aliviar este destino, y ésa es respetar mi silencio.

Utterson quedó asombrado; la tenebrosa influencia de Hyde había sido apartada, el doctor había vuelto a sus viejas actividades y amistades; una semana antes, las perspectivas habían sonreído con todas las promesas de una época placentera y honorable; y ahora, en un momento, la amistad, y la paz mental, y todo el tenor de su vida, habían naufragado. Un cambio tan grande e imprevisto sugería demencia; pero, en vista de las maneras y las palabras de Lanyon, debía provenir de mayores profundidades.

Una semana después, el doctor Lanyon se puso en cama, y, prácticamente de la noche a la mañana, había muerto. La noche después del funeral, que le había afectado tristemente, Utterson se encerró con llave en su despacho, y allí, sentado a la luz melancólica de una candela, sacó y puso frente a él un sobre manuscrito y sellado con el lacre de su difunto amigo:

"*Privado*: para entregar en mano *únicamente* a J. G. Utterson, y, en caso de muerte de éste, *para ser destruido sin leerse.*"

Así estaba enfáticamente escrito; y el abogado temía ver su contenido.

"Hoy he enterrado a un amigo —pensó—; ¿y si esto me costara otro?"

Y, entonces, condenó su miedo como una deslealtad, y rompió el sello. Dentro había otro sobre, igualmente sellado, y que llevaba escrita la indicación de "no abrir hasta la muerte o desaparición del doctor Harry Jekyll". Utterson no podía creer lo que miraba. Sí, decía desaparición; aquí, una vez más, como en el demencial testamento, que hacía tiempo había devuelto a su autor, aquí, de nuevo, estaba la idea de desaparición, y el nombre de Harry Jekyll implicado. Pero en el testamento la idea había surgido de la siniestra sugerencia de aquel Hyde; estaba allí con un propósito al mismo tiempo diáfano y horrible. Pero, escrita por la mano de Lanyon, ¿qué podía significar? Una gran curiosidad invadió al destinatario, una curiosidad que le impulsaba a hacer caso omiso de la prohibición y zambullirse de inmediato hasta el fondo de aquellos misterios; pero el honor profesional y la lealtad hacia su difunto amigo eran obligaciones estrictas; y la carta fue a reposar en el más recóndito rincón de su caja fuerte.

Una cosa es mortificar la curiosidad, y otra vencerla; a nadie podría sorprender el que, a partir del cuarto día, Utterson deseara el contacto de su amigo superviviente con igual vehemencia. Pensaba en él afectuosamente; pero sus pensamientos eran inquietos y le inspiraban miedo. No obstante, fue a visitarle; pero quizá le alivió que le negaran la entrada; quizá, en su corazón, prefería hablar con Poole en el zaguán, rodeado por la atmósfera y los ruidos de la ciudad abierta, antes que ser admitido en aquella casa de cautiverio voluntario y sentarse a hablar con su inescrutable recluso. A decir verdad, Poole no tenía noticias demasiado agradables que comunicarle. Parecía que el doctor se confinaba, ahora más que nunca, en su despacho del laboratorio, en el cual incluso dormía algunas veces; no encontraba reposo, se había hecho muy silencioso, no leía; parecía como si tuviera algo en mente. Utterson se acostumbró tanto al carácter invariable de estas informaciones que la frecuencia de sus visitas fue disminuyendo poco a poco.

EL INCIDENTE DE LA VENTANA

CIERTO DOMINGO, MIENTRAS MÍSTER UTTERSON DABA SU HABITUAL paseo con míster Enfield, sus pasos les condujeron una vez más al callejón; y, cuando llegaron frente a la puerta, ambos se detuvieron para contemplarla.

—Bien —dijo Enfield—, esa historia ha terminado, por lo menos. Nunca volveremos a ver a míster Hyde.

—Espero que no —dijo Utterson—. ¿Le conté alguna vez que le vi en una ocasión, y que tuve la misma sensación de repulsión que usted?

—Era imposible una cosa sin la otra —replicó Enfield—. Y, dicho sea de paso, ¡debió usted creer que yo era un asno, por no saber que ésta era una entrada trasera de la casa del doctor Jekyll! Fue en parte culpa suya que lo descubriera, cuando ocurrió así.

—¿De modo que lo descubrió? —dijo Utterson—. Pero, siendo así, podemos entrar en el patio y echar un vistazo a las ventanas. Si he de decirle la verdad, me siento inquieto por el pobre Jekyll; e incluso desde fuera siento como si la presencia de un amigo pudiera hacerle bien.

El patio estaba muy frío, un poco húmedo e invadido de unas penumbras prematuras pese a que en el cielo, allá en lo alto, todavía brillaba la puesta del sol. La ventana central de las tres estaba un poco abierta; y, sentado junto a ella, tomando el fresco con un aire de infinita tristeza, como un prisionero inconsolable, Utterson observó a Jekyll.

—¡Vaya! ¡Jekyll! —gritó—. Espero que te sientas mejor.

—Estoy muy deprimido, Utterson —replicó el doctor, fúnebremente—; muy deprimido. No duraré mucho, gracias a Dios.

—Deberías salir más —dijo el abogado—. Deberías ir por ahí, para estimular la circulación, como hacemos míster Enfield y yo. (Le presento a mi primo, míster Enfield... El doctor Jekyll.) Vamos, ven; coge tu sombrero y da una vuelta con nosotros.

—Son ustedes muy amables —suspiró el otro—. Me gustaría mucho; pero no, no, no, es totalmente imposible; no me atrevo. Pero lo cierto, Utterson, es que estoy encantado de verte; de veras que es para mí un gran placer. Te rogaría que subieras con míster Enfield, pero este sitio no es adecuado.

—Bien, entonces —dijo el abogado, con buen humor—, lo mejor será que nos quedemos aquí y hablemos contigo desde donde estamos.

—Esto era precisamente lo que iba a atreverme a proponer —respondió el doctor, sonriendo. Pero apenas había pronunciado estas palabras cuando la sonrisa desapareció bruscamente de su rostro, dejando paso a una expresión de terror abyecto y desesperación capaz de helar la sangre de los dos caballeros que estaban abajo. Vieron aquello tan sólo a medias, ya que la ventana se cerró de inmediato; pero aquel atisbo había bastado, y se volvieron y abandonaron el patio sin decir una palabra. Recorrieron el callejón también en silencio; y no fue sino cuando llegaron a una calle vecina, en la que, incluso en domingo, había cierto movimiento de vida, que, finalmente, míster Utterson se volvió hacia su compañero, mirándole. Ambos estaban pálidos; y el terror se reflejaba en sus miradas.

—¡Dios nos perdone! ¡Dios nos perdone! —dijo míster Utterson.

Pero míster Enfield se limitó a asentir con la cabeza muy seriamente, y ambos siguieron caminando en silencio.

LA ÚLTIMA NOCHE

MÍSTER UTTERSON ESTABA SENTADO JUNTO AL FUEGO CIERTA noche, después de la cena, cuando quedó sorprendido de recibir la visita de Poole.

—Cielo santo, Poole, ¿qué le trae aquí? —exclamó; y luego, tras mirarle con un poco más de atención—: ¿Se siente usted mal? —añadió—. ¿Está el doctor enfermo?

—Míster Utterson —dijo el hombre—, algo va mal.

—Siéntese, este vino es para usted —dijo el abogado—. Ahora, tómese su tiempo, y dígame abiertamente sea lo que sea.

—Ya conoce usted el comportamiento del doctor, señor —replicó Poole—, y cómo se ha encerrado. Bueno, pues ha vuelto a encerrarse en su gabinete; y eso no me gusta, señor... Que me muera si me gusta. Míster Utterson, estoy asustado.

—Amigo mío, haga el favor —dijo el abogado—, sea explícito. ¿De qué tiene miedo?

—He estado asustado más o menos una semana —replicó Poole, ignorando obstinadamente la pregunta—, y no puedo seguir soportándolo.

El aspecto del hombre apoyaba sólidamente sus palabras: sus maneras estaban muy alteradas; y, excepto en el momento en que por primera vez había anunciado su terror, ni una sola vez había sostenido la mirada del abogado. Incluso ahora, sentado, con el vaso de vino intacto apoyado en la rodilla, tenía los ojos vueltos hacia un rincón del suelo.

—No puedo seguir soportándolo —repitió.

—¡Vamos! —dijo el abogado—. Me doy cuenta de que usted tiene una buena razón, Poole; me doy cuenta de que ocurre algo malo y muy serio. Trate de contarme de qué se trata.

—Creo que ha habido juego sucio —dijo Poole, con la voz enronquecida.

—¡Juego sucio! —exclamó el abogado, realmente asustado y, en consecuencia, inclinado a sentirse más bien irritado—. ¿Qué juego sucio? ¿Qué es lo que pretende ese hombre?

—No sabría decirlo, señor —fue la respuesta—; pero ¿por qué no viene conmigo y lo ve usted mismo?

La única respuesta de míster Utterson fue ponerse en pie y ponerse el sombrero y el gabán; pero observaba con asombro el enorme alivio que se dibujaba en el rostro del mayordomo y, quizá con no menos asombro, el hecho de que el vino siguiera sin haber sido probado cuando lo dejó en la mesa para salir con él.

Era una desapacible noche fría de marzo, con una luna pálida inclinada hacia atrás como si el viento la hubiera empujado, como los restos de un naufragio que volaban con la más diáfana y herbosa textura. El viento dificultaba el hablar y moteaba con sangre la cara. Parecía haber barrido las calles, despojadas inusualmente de viandantes; al punto que míster Utterson pensó que jamás había visto tan desierta aquella parte de Londres. Hubiera deseado que fuera de otro modo; nunca en toda su vida había tenido conciencia de una necesidad tan aguda de ver y tener contacto con otras criaturas humanas; ya que, por mucho que se esforzara, no podía evitar que pesara en su ánimo la aplastante sospecha de una catástrofe. La plaza, cuando llegaron a ella, estaba inundada de viento y polvo, y los delgados árboles del jardín daban latigazos contra la valla. Poole, que durante todo el trayecto se había mantenido un paso o dos por delante, se puso ahora a la mitad de la calzada, y, a pesar del frío viento, se quitó el sombrero y se enjugó la frente con un pañuelo rojo. Sin embargo, pese a lo apresurado de su paso, no era el rocío del esfuerzo lo que enjugaba, sino la humedad de una angustia asfixiante; ya que su cara estaba blanca, y su voz, cuando habló, era ronca y quebrada.

—Bien, señor —dijo—, aquí estamos, y Dios quiera que no ocurra nada malo.

—Así sea, Poole —dijo el abogado.

En aquel momento, Poole llamó a la puerta de un modo muy precavido; la puerta se abrió hasta el tope de la cadenilla; y una voz preguntó desde dentro:

—¿Es usted, Poole?

—Sí, todo va bien —dijo Poole—. Abra la puerta.

El vestíbulo, cuando entraron en él, estaba brillantemente iluminado; el fuego estaba alto y, en torno a la chimenea, estaba reunida toda la servidumbre, como un rebaño de ovejas. Al ver a míster Utterson, la criada rompió en un llanto histérico; y el cocinero, gritando: "¡Bendito sea Dios! ¡Es míster Utterson!" se abalanzó hacia él como si fuera abrazarlo.

—¿Cómo, cómo? ¿Por qué están todos aquí? —dijo el abogado, molesto—. No es muy normal; es impropio: su amo no se sentiría satisfecho en absoluto.

—Están todos asustados —dijo Poole.

Siguió un silencio profundo; nadie protestó; tan sólo se elevó la voz de la criada, porque lloraba más fuerte.

—¡Guarde silencio! —le dijo Poole, con una ferocidad de acento que era un reflejo de sus nervios alterados; y lo cierto era que, cuando la muchacha había elevado de aquel modo tan súbito el tono de sus lamentos, todos se habían sobresaltado, volviéndose hacia la puerta interior con rostros de aterrada expectación.

—Y ahora —prosiguió el mayordomo, dirigiéndose al camarero—, consígueme una lámpara, y pondremos manos a la obra de inmediato.

Y luego rogó a míster Utterson que le siguiera, y le condujo al jardín trasero.

—Ahora, señor —dijo—, haga el menor ruido posible. Quiero que oiga, y no quisiera que fuera oído. Y mire, señor, si por casualidad le pidiera que entrara, no lo haga.

Ante esta declaración inesperada, míster Utterson sintió un tirón en sus nervios que estuvo a punto de hacerle perder la serenidad; pero hizo acopio de valor, y siguió al mayordomo dentro del laboratorio y a través del anfiteatro quirúrgico, con su trastería de probetas y alambiques, hasta el pie de las escaleras. Allí, Poole le hizo señas de echarse a un lado y escuchar; mientras que él mismo, dejando la lámpara y haciendo un obvio acopio de toda su resolución, subió las escaleras, y llamó golpeando con cierta indecisión sobre el forro rojo de la puerta del gabinete.

—Míster Utterson, señor, pregunta por usted —exclamó—; y, mientras lo hacía, una vez más hizo al abogado señales vehementes para que prestara oído.

Una voz respondió desde dentro:

—Dígale que no puedo ver a nadie —dijo aquella voz, quejumbrosamente.

—Gracias, señor —dijo Poole, con una nota un tanto triunfal en su voz; y, tomando su lámpara, condujo a míster Utterson de vuelta por el patio y la enorme cocina, donde el fuego estaba apagado y unos grillos brincaban por el suelo.

—Señor —dijo, mirando a los ojos a míster Utterson—, ¿era ésa la voz del doctor Jekyll?

—Parece muy cambiada —repuso el abogado, muy pálido, pero devolviendo mirada por mirada.

—¿Cambiada? Bueno, sí, eso creo —dijo el mayordomo—. ¿Habré estado veinte años en casa de este hombre para luego no ser capaz de identificar su voz? No, señor; mi amo ha desaparecido; desapareció hace ocho días, cuando le oímos gritar el nombre de Dios; ¡y quién está ahí en lugar de él, y *por qué* está ahí, es algo que pregunta el cielo, míster Utterson!

—Esa es una historia muy extraña, Poole; más bien diría que es una historia disparatada —dijo míster Utterson, mordiéndose un dedo—. Aceptemos que es como usted supone; supongamos que el doctor Jekyll haya sido... bueno, asesinado; ¿qué podría inducir al asesino a quedarse aquí? Es algo irrazonable; no se apega a la razón.

—Bien, míster Utterson, es usted un hombre difícil de convencer, pero le convenceré —dijo Poole—. Toda esta última semana, debe usted saberlo, él, o ello, o lo que sea que vive en ese gabinete, ha estado pidiendo a gritos, noche y día, cierta clase de medicina y no puede conseguirla. A veces él solía —quiero decir el amo— escribir sus órdenes en una hoja de papel y dejarla tirada en las escaleras. Durante esta semana no hemos visto ninguna otra cosa: nada más que papeles, y una puerta cerrada; e incluso las comidas se dejaban ahí y eran tomadas a hurtadillas, cuando no miraba nadie. Pues bien, señor, cada día, sí, y dos y tres veces en un mismo día, ha habido órdenes y quejas, y yo he tenido que ir volando a todos los establecimientos de productos químicos al por mayor de la ciudad. Cada vez que volvía con el producto, otro papel me decía que tenía que devolverlo, porque no era puro; y recibía otro encargo para otro establecimiento. Sea para lo que sea, esa droga es amargamente deseada, señor.

—¿Tiene usted alguno de esos papeles? —preguntó míster Utterson.

Poole buscó en su bolsillo y sacó una nota arrugada que el abogado, acercándola a la lámpara, examinó cuidadosamente. Su contenido decía lo siguiente:

"El doctor Jekyll presenta sus saludos a los señores Maw. Les asegura que su última muestra es impura y completamente inadecuada para su actual propósito. En el año 18.... el Dr. J. compró una cantidad bastante grande a los señores M. Ahora les ruega que busquen con el más extremo cuidado, y, si quedara algo de la misma calidad, se lo envíen de inmediato. No importa el precio. La importancia que esto tiene para el Dr. J. no podría ser suficientemente subrayada."

Hasta ese punto, la carta estaba redactada con bastante compostura; pero a partir de ahí, en una súbita confusión de la pluma, la emoción del que escribía se había desencadenado:

"Por el amor de Dios —añadía—, encuentren un poco con la calidad anterior."

—Es una extraña nota —dijo míster Utterson; y luego, bruscamente—: ¿Por qué la tiene usted?

—El hombre de la casa Maw se irritó, señor, y me la arrojó como si fuera basura —replicó Poole.

—Esta letra es indiscutiblemente del doctor, ¿entiende? —prosiguió el abogado.

—Yo pensé que eso parecía —dijo el sirviente, con cierta sequedad—. Pero, ¿qué importa la letra? —dijo—. ¡Yo le he visto!

—¿Le ha visto? —repitió míster Utterson—. ¿Y bien?

—Verá —dijo Poole—. Fue de este modo. Entré de repente en el anfiteatro, viniendo del jardín. Según parece, se había deslizado fuera en busca de esa droga, o lo que sea; ya que la puerta del gabinete estaba abierta, y ahí estaba él, al otro extremo de la habitación, hurgando entre las probetas. Alzó la mirada cuando yo entré, soltó una especie de grito, y echó a correr escaleras arriba, hacia el gabinete. Le vi apenas unos instantes, pero se me puso el pelo de punta. Señor, si era mi amo, ¿por qué una máscara le cubría el rostro? Si era mi amo, ¿por qué chilló como una rata y huyó de mí? Le he servido mucho tiempo. Y, además...

El hombre hizo una pausa y se pasó la mano por el rostro.

—Son esas unas extrañas circunstancias —dijo míster Utterson—, pero creo que empiezo a ver la luz. Su amo, Poole, padece evidentemente de una de esas enfermedades que al mismo tiempo torturan y deforman al sufriente; eso explicaría la deformación de su voz; de ahí vendría esa máscara y el aislamiento de sus amigos; de ahí su impaciencia por encontrar esa droga, en la que esa pobre alma deposita sus últimas esperanzas de recobrarse... ¡Quiera Dios que no se engañe! Esta es mi explicación; es muy triste, Poole, sí, y abrumadora la idea; pero es algo lógico y natural, todo encaja, y nos aleja de alarmas descabelladas.

—Señor —dijo el mayordomo, adquiriendo una especie de palidez moteada—, esa cosa no era mi amo, y esa es la verdad. Mi amo —y en este punto miró a su alrededor, y empezó a hablar en susurros— es un hombre de elevada estatura, y eso era más bien un enano.

Utterson hizo el intento de refutarlo.

—¡Oh, señor! —gritó Poole—. ¿Piensa usted que no conozco a mi amo después de veinte años? ¿Piensa usted que no conozco su aspecto cuando está en el gabinete, donde le he visto todas las mañanas de mi vida? No, señor; esa cosa con la máscara no era en absoluto el doctor Jekyll... Dios sabrá qué era, pero no era en absoluto el doctor Jekyll; y creo de todo corazón que se ha cometido un asesinato.

—Poole —replicó el abogado—, puesto que me dice esto, se convierte en un deber para mí el salir de dudas. Por mucho que desee no herir las emociones de su amo, por mucho que me desconcierte esta nota, que parece demostrar que todavía vive, voy a considerar un deber forzar esa puerta.

—¡Ah, míster Utterson! ¡Así se habla! —exclamó el mayordomo.

—Y ahora viene el segundo problema —prosiguió Utterson—: ¿Quién va a romper la puerta?

—¿Quién? Pues usted y yo, señor —fue la intrépida respuesta.

—Bien dicho —repuso el abogado—; y, acabe esto como acabe, le prometo a usted que no saldrá perdiendo.

—Hay un hacha en el anfiteatro —prosiguió Poole—; y usted puede coger el atizador de la cocina.

El abogado asió aquel instrumento rudo, pero pesado, y lo sopesó.

—¿Sabe usted, Poole —dijo, alzando la mirada—, que usted y yo vamos a colocarnos en una situación de cierto peligro?

—Puede ser, señor; desde luego —repuso el mayordomo.

—Entonces, debemos ser francos —dijo el otro—. Ambos pensamos más cosas de las que hemos dicho; digámoslo todo. Esa figura con máscara que vio usted... ¿la reconoció?

—Bueno, señor, iba tan aprisa, y la criatura se encorvaba tanto, que difícilmente podría jurar nada —fue la respuesta—. Pero si usted se refiere a que si era míster Hyde... ¡Pues sí, creo que era él! Era más o menos de su tamaño; y, además, tenía sus mismos movimientos ligeros; además, ¿quién más podría haber entrado por la puerta del laboratorio? No habrá usted olvidado, señor, que cuando el asesinato todavía tenía la llave en su poder. Pero eso no es todo. No sé, míster Utterson, si usted alguna vez se encontró con ese míster Hyde.

—Sí —dijo el abogado—. Hablé con él una vez.

—Entonces sabrá usted, como todos nosotros, que había algo extraño en ese caballero... algo que le daba un aire... No sabría decirlo con exactitud, señor, pero lo diré de este modo: se sentía, hasta el tuétano... una especie de frío e inquietud.

—Yo mismo sentí algo como lo que usted describe —dijo míster Utterson.

—¿Lo ve usted, señor? —replicó Poole—. Bien, pues cuando esa cosa enmascarada saltó como un mono entre los aparatos químicos y escapó al gabinete, algo helado me recorrió el espinazo. ¡Oh! Ya sé que no es ninguna prueba, míster Utterson; soy lo bastante instruido para saberlo; pero un hombre confía en su instinto; ¡y puedo jurarle que era míster Hyde!

—Sí, sí —dijo el abogado—. Mis temores apuntan a lo mismo, hacia un mal, según me temo —era inevitable que el mal surgiera—, basado en esa relación. Sí, de veras, le creo; creo que el pobre Harry ha sido asesinado; y creo que su asesino (con qué objeto, eso es algo que sólo Dios sabe) todavía está escondido en la habitación de su víctima. Bueno, procedamos en nombre de la venganza. Llame a Bradshaw.

El lacayo acudió al llamado, muy pálido y nervioso.

—Serénese, Bradshaw —dijo el abogado—. Sé que esta incertidumbre les está afectando mucho a todos; pero ahora nos hemos hecho el propósito de desvelar el asunto. Poole y yo vamos a abrirnos paso al gabinete. Si todo está bien, tengo los hombros lo bastante sólidos para soportar la reprimenda. Entretanto, por si algo falla, o por si algún malhechor intenta escapar por detrás, usted y el camarero deben dar vuelta a la esquina con un par de buenos bastones y apostarse junto a la puerta del laboratorio. Les damos diez minutos para llegar a sus puestos.

Cuando el lacayo se hubo ido, el abogado miró su reloj.

—Y ahora, Poole, vayamos a nuestros lugares —dijo; y, poniéndose el atizador debajo del brazo, se encaminó hacia el patio.

La neblina ocultaba la luna, y estaba casi completamente oscuro. El viento, que soplaba en bufidos y corrientes dentro del profundo pozo de los edificios, agitaba de un lado a otro la luz de la candela mientras andaban, hasta que alcanzaron el abrigo del anfiteatro, donde se sentaron en silencio a esperar. Londres zumbaba solemnemente alrededor; pero, en aquel entorno, sólo el sonido de unos pasos moviéndose arriba y abajo por el piso del gabinete rompía el silencio.

—Así anda todo el día, señor —susurró Poole—; bueno, y casi toda la noche también. Sólo se interrumpe un poco cuando llega otra muestra de las casas de productos químicos. ¡Ah! ¡La mala conciencia es el enemigo implacable del reposo! ¡Ah, señor! ¡Hay sangre suciamente derramada en cada una de esas pisadas! Pero, ¡escuche con atención, míster Utterson! Y dígame si esos son los pasos del doctor.

Los pasos caían ligeros y lentos, aunque con cierta regularidad a pesar de su lentitud; eran realmente muy distintos del pesado andar crujiente de Harry Jekyll. Utterson suspiró.

—¿No se oye nunca otra cosa? —preguntó.

Poole asintió con la cabeza.

—Una vez —dijo—, una vez le oí llorar.

—¿Llorar? ¿Cómo está eso? —dijo el abogado, consciente de un súbito estremecimiento de horror.

—Lloraba como una mujer o un alma extraviada —dijo el mayordomo—. Me abrumó tanto el corazón, que también yo habría podido llorar.

Pero ahora los diez minutos llegaban a su término. Poole desenterró el hacha de detrás de un montón de paja de embalaje; pusieron la candela sobre la mesa más cercana, para que les alumbrara durante el ataque; y se acercaron, con la respiración entrecortada, al sitio donde aquellas pisadas pacientes seguían arriba y abajo, arriba y abajo en la quietud de la noche.

—Jekyll —gritó Utterson, en voz alta—, deseo verte.

Hizo un larga pausa, pero no llegaba ninguna respuesta.

—Te lo advierto claramente: tenemos sospechas, y debo entrar y verte —prosiguió—; si no es por las buenas, será por las malas y si no es con tu consentimiento será por la fuerza bruta.

—Utterson —dijo la voz—. ¡Por el amor de Dios, ten piedad!

—¡Ah! ¡Esta no es la voz de Jekyll... es la de Hyde! —gritó Utterson—. ¡Abajo con la puerta, Poole!

Poole blandió el hacha sobre sus hombros; el golpe hizo temblar el edificio entero, y la puerta de forro rojo saltó contra el cerrojo y los goznes. Un lúgubre chillido, como de puro terror animal, surgió del gabinete. Volvió a abatirse el hacha, y de nuevo los tableros crujieron y se conmovió la estructura; cuatro veces se repitió el golpe, pero la madera era resistente y se había ajustado a la perfección; no fue sino al quinto golpe que el cerrojo saltó, roto, y los restos de la puerta cayeron hacia dentro, sobre la alfombra.

Los sitiadores, impresionados por su propio estruendo y la quietud que le siguió, se quedaron inmóviles unos momentos, mirando hacia dentro. Ahí estaba ante sus ojos el gabinete, bajo la tranquila luz de la lámpara, un buen fuego resplandecía y crepitaba en la chimenea, la tetera cantaba su débil tonadilla, uno o dos cajones estaban abiertos, los papeles ordenadamente colocados sobre la mesa de despacho, y, más cerca del fuego, las cosas dispuestas para el té; se hubiera dicho que era la más tranquila de las habitaciones y, de no ser por las vitrinas llenas de compuestos químicos, el sitio más ordinario de todo Londres aquella noche.

Justo en el centro yacía el cuerpo de un hombre contorsionado de dolor y todavía estremeciéndose. Se le acercaron de puntillas, le volvieron sobre la espalda, y contemplaron el rostro de Edward Hyde. Iba vestido con ropas muy amplias para él, ropas que correspondían al tamaño del doctor; las líneas de su rostro todavía parecían tener vida, pero ésta había desaparecido por completo; y, por el pequeño frasco roto en sus manos y el fuerte olor a almendras que flotaba en el aire, Utterson supo que estaba frente al cuerpo de un suicida.

—Hemos llegado demasiado tarde —dijo, severamente —tanto para salvarle como para castigarle. Hyde ha muerto por su propia mano; y sólo nos queda encontrar el cuerpo de tu amo.

La mayor parte del edificio estaba ocupada por el anfiteatro, que cubría casi todo el piso inferior, y estaba iluminado desde arriba, y por el gabinete, que constituía el piso superior en un extremo y daba al patio. Un pasillo unía el anfiteatro con la puerta del callejón, y el gabinete se comunicaba aparte con este pasillo por un segundo tramo de escaleras. Había además varios armarios oscuros y un espaciosa bodega. Todo ello fue examinado a fondo.

Los armarios necesitaron apenas una ojeada, ya que todos estaban vacíos y, según se veía por el polvo que caía de sus puertas, habían permanecido largo tiempo sin abrir. La bodega estaba repleto de trastos desechados, en su mayor parte de los tiempos del cirujano que había precedido a Jekyll; pero en el mismo momento de abrir la puerta notaron la inutilidad de un examen más profundo por la caída de una auténtica alfombra de telarañas que durante años habían sellado la entrada. En ninguna parte había el menor rastro de Harry Jekyll, vivo o muerto.

Poole golpeó con el pie las losas del pasillo.

—Debe estar enterrado aquí —dijo, observando el sonido.

—Puede que haya huido —dijo Utterson; y se volvió para examinar la puerta que daba al callejón. Estaba cerrada con llave; y, sobre las losas, encontraron la llave, ya manchada de herrumbre.

—No parece haber sido usada —observó el abogado.

—¡Usada! —repitió Poole—. ¿No ve usted, señor, que está rota? Parece como si alguien la hubiera pisoteado.

—¡Ah! —prosiguió Utterson—. Y también las fracturas están herrumbrosas.

Los dos hombres se miraron el uno al otro con temor.

—Esto está más allá de mi comprensión, Poole —dijo el abogado—. Volvamos al gabinete.

Subieron las escaleras en silencio, y de nuevo, con ocasionales miradas atemorizadas al cuerpo muerto, procedieron a examinar más minuciosamente el contenido del gabinete. En una mesa había restos de prácticas químicas, y varios montoncillos medidos de cierta sal pura habían sido depositados sobre platillos de vidrio, como para un experimento del que habían interrumpido a aquel desdichado.

—Esta es la misma droga que yo le traía siempre —dijo Poole; y, mientras hablaba, la tetera se puso a hervir con un súbito ruido.

Aquello les atrajo hacia el fuego, al que estaba confortablemente arrimada la tumbona, y el servicio para el té estaba dispuesto junto al codo de quien se sentara, con el azúcar ya dentro de la taza. Había varios libros en un estante; un libro estaba abierto junto al servicio de té, y Utterson se sintió asombrado al ver que se trataba de un ejemplar de una obra religiosa por la que Jekyll había expresado en distintas ocasiones una gran estima, anotada, por su propia mano, con aterradoras blasfemias.

Luego, durante su registro de la habitación, los investigadores llegaron al espejo de vestir, en cuyas profundidades miraron con un horror involuntario. Pero estaba orientado de tal forma que sólo les mostraba los resplandores rosados del techo, el fuego, chispeando en mil reflejos en los vidrios frontales de las vitrinas, y sus propias imágenes, pálidas, agachadas para mirar en él.

—Este espejo ha contemplado cosas extrañas, señor —susurró Poole.

—Y seguramente ninguna tan extraña como él mismo —replicó el abogado, en el mismo tono—. Ya que ¿para qué necesitaba Jekyll... —contuvo la conclusión con un estremecimiento, y luego dijo, superando su desfallecimiento—: ¿Para qué lo querría Jekyll?

—¡Buena pregunta! —dijo Poole.

A continuación, se volvieron hacia la mesa de despacho. Sobre el escritorio, encima de la ordenada pila de papeles, estaba un sobre que tenía, escrito con letra del doctor, el nombre de Utterson. El abogado lo abrió, y varios papeles cayeron al suelo. El primero era un testamento, redactado en los mismos términos excéntricos que el que había sido devuelto seis meses antes, destinado a servir de testamento en caso de muerte y de donación en caso de desaparición; pero, en lugar del nombre de Edward Hyde, el abogado leyó, con indescriptible asombro, el nombre de Gabriel John Utterson. Miró a Poole, de nuevo a los papeles, y por último al malhechor muerto que estaba tendido sobre la alfombra.

—Me da vueltas la cabeza —dijo—. Esto ha estado todos estos días en su poder; no tenía ningún motivo para apreciarme; debe haber rabiado al verse desplazado; sin embargo, no ha destruido el documento.

Tomó el siguiente papel. Era una breve nota con letra del doctor y estaba fechada en el encabezado.

—¡Oh, Poole! —gritó el abogado—. Hoy mismo estaba vivo, y ha estado aquí. No es posible que se hayan desprendido de su cuerpo en tan poco tiempo; ¡debe seguir vivo, debe haber huido! Pero, ¿por qué huir? ¿Y cómo? Y, en este caso, ¿podemos arriesgarnos a declarar este suicidio? ¡Oh! Debemos tener cuidado. Sospecho que podemos implicar a su amo en alguna horrible catástrofe.

—¿Por qué no lo lee, señor? —preguntó Poole.

—Porque tengo miedo —replicó el abogado, solemnemente—. ¡Dios quiera que no tenga motivos para ello! —y, diciendo esto, se llevó el papel ante los ojos, y leyó lo que sigue:

Mi querido Utterson: cuando ésta llegue a tus manos, yo habré desaparecido; no tengo el don de la adivinación que me permita prever en qué circunstancias, pero mi instinto y todas las circunstancias de mi inmencionable situación me dicen que el final es seguro y a muy corto plazo. Lee primero el informe que Lanyon me advirtió que iba a poner en tus manos; y si deseas saber más, lee la confesión de tu indigno y desdichado amigo,

Harry Jekyll

—Había un tercer papel —inquirió Utterson.

—Aquí está, señor —dijo Poole; y le puso en las manos un voluminoso paquete lacrado en varios puntos.

El abogado se lo guardó en el bolsillo.

—No diré nada sobre este documento. Si su amo ha huido o está muerto, podemos al menos salvar su reputación. Ahora son las diez; debo irme a casa y leer estos documentos con tranquilidad; pero volveré antes de medianoche, y entonces llamaremos a la policía.

Salieron, cerrando tras ellos la puerta del anfiteatro; y Utterson, dejando una vez más a la servidumbre reunida alrededor del fuego, en el vestíbulo, caminó aturdido hasta su casa para leer las dos declaraciones que iban a aclarar este misterio.

LA DECLARACIÓN DEL DOCTOR LANYON

EL NUEVE DE ENERO, HACE NUEVE DÍAS, RECIBÍ, EN EL CORREO DE la tarde, una carta certificada, escrita con letra de mi colega y viejo compañero de escuela Harry Jekyll. Esto me sorprendió mucho, ya que no teníamos en absoluto la costumbre de intercambiar correspondencia; había visto a ese hombre la noche anterior, e incluso había cenado con él; y no podía imaginar que hubiera nada en nuestro trato que justificara la formalidad de la certificación. El contenido aumentó mi asombro, ya que así decía la carta:

10 de diciembre de 18...
Mi querido Lanyon: eres uno de mis más viejos amigos; y, pese a que hayamos discrepado a veces en cuestiones científicas, no puedo recordar, al menos en lo que a mí respecta, ninguna interrupción en el afecto. No ha habido ningún día en el que, si me hubieras dicho: "Jekyll, mi vida, mi honor, mi razón, dependen de ti", no hubiera sacrificado mi fortuna o mi mano izquierda por ayudarte.

Lanyon, mi vida, mi honor y mi razón están a tu merced; si esta noche me fallas, estoy perdido. Puedes imaginar, después de este prefacio, que voy a pedirte que hagas algo deshonroso. Juzga por ti mismo.

Quiero que pospongas cualquier otro compromiso que tengas esta noche; sí, aunque te convocaran a la cabecera de un emperador; que tomes un coche de alquiler, a menos que tengas el tuyo propio en la puerta; y que, con esta carta en la mano para que te sirva de referencia, te dirijas directamente a mi casa. Poole, mi mayordomo, ha recibido instrucciones; le encontrarás esperándote, con un cerrajero. La puerta de mi gabinete tendrá que ser forzada; y tú entrarás solo; abrirás la vitrina (letra E) del lado izquierda, rompiendo el cerrojo si está cerrada; y sacarás de ella, con todo lo que contiene, tal como esté, el cuarto cajón contado a partir de arriba o (lo que es lo mismo) el tercero a partir de abajo. En la extrema confusión de mi espíritu, tengo un miedo enfermizo a guiarte mal; pero incluso si estoy en un error, reconocerás el cajón que interesa por su contenido: algunos polvos, un frasco y una libreta. Te suplico que te lleves contigo este cajón a tu casa de la plaza Cavendish, tal como esté.

Esta es la primera parte del favor; ahora, la segunda. Estarás de regreso, si partes en cuanto recibas esto, mucho antes de medianoche; pero te dejaré todo este margen de tiempo, no sólo por miedo a uno de esos obstáculos que no pueden evitarse ni preverse, sino porque es preferible una hora en que tus sirvientes estén en la cama debido a lo que queda por hacer. A medianoche, pues, debo pedirte que te quedes solo en tu sala de consultas, que tú personalmente permitas la entrada a un hombre que se presentará en mi nombre, y que coloques en sus manos el cajón que habrás sacado de mi gabinete. En ese momento habrás desempeñado tu cometido y ganado mi eterna gratitud. Cinco minutos después, si insistes en tener una explicación, habrás entendido que todas estas disposiciones son de una importancia capital, y que descuidar una sola de ellas, por fantástico que pueda parecer, cargaría sobre tu conciencia mi muerte o el naufragio de mi razón.

Aunque confío en que no te tomarás a juego esta petición, mi corazón zozobra y mi mano tiembla ante la sola idea de tal posibilidad. Piensa en mí, en esta hora, en un sitio extraño, trabajando en unas tinieblas de desesperación que ninguna fantasía podría exagerar; y ten presente que si me prestas puntualmente este servicio mis angustias se esfumarán como una historia que se relata. Hazme este favor, mi querido Lanyon, y salva a

tu amigo

H. J.

P.D. Ya he sellado esto cuando un nuevo terror me invade el alma. Es posible que el correo me traicione, y que esta carta no llegue a tus manos hasta mañana por la mañana. En este caso, mi querido Lanyon, lleva a cabo mi encargo cuando mejor te convenga en el curso del día; y una vez más espera a mi mensajero a medianoche. Puede que ya sea demasiado tarde; y, si esta noche transcurre sin acontecimientos, has de saber que ya no volverás a ver a Harry Jekyll.

Al leer esta carta, tuve la certidumbre de que mi colega estaba loco; pero, hasta que ello se comprobara más allá de toda duda, me sentí obligado a hacer lo que se me pedía. Cuanto menos entendía aquel enredo, tanto menos estaba en condiciones de juzgar sobre su importancia; y un llamamiento expresado del aquel modo no podía soslayarse sin incurrir en una grave responsabilidad. Por tal razón, me levanté de la mesa, tomé un carruaje, y me dirigí directamente a casa de Jekyll. El mayordomo estaba esperando mi llegada; había recibido, por la misma entrega de correo que yo, una carta certificada con instrucciones, y había mandado a buscar de inmediato a un cerrajero y un carpintero. Estos artesanos llegaron mientras todavía estábamos hablando, y nos dirigimos todos juntos al viejo anfiteatro quirúrgico del doctor Denman, por donde (como sin duda ya sabes) se entra más fácilmente al gabinete privado de Jekyll. La puerta era muy sólida, y la cerradura excelente; el carpintero confesó que tendría grandes dificultades, y que tendría que hacer grandes destrozos, si se tenía que emplear la fuerza; el cerrajero estaba al borde de la desesperación. Pero este último era un tipo muy mañoso, y, después de trabajar durante dos horas, la puerta quedó abierta. La vitrina con la letra E no estaba cerrada con llave; saqué el cajón, lo rellené de paja, lo envolví en papel, y volví con él a mi casa de la plaza Cavendish.

Cuando llegué, me puse a examinar el contenido. Los polvos estaban envueltos con bastante limpieza, pero no con la escrupulosidad del farmacéutico; por lo que era evidente que los había preparado Jekyll en privado; cuando abrí uno de los envoltorios, me encontré con algo que parecía una vulgar sal cristalina de color blanco. El frasco, al que a continuación presté mi atención, estaba lleno más o menos a la mitad de un licor rojo sangre, muy picante para el olfato, y me pareció que contenía fósforo y algún éter volátil. En cuanto a los demás ingredientes, no pude hacer ninguna conjetura. La libreta era del tipo normal para anotaciones, y contenía poco más que una serie de fechas. Estas fechas cubrían un periodo de varios años, pero me fijé en que las anotaciones se interrumpían haría cosa de un año, y de modo muy abrupto. Aquí y allí, algún breve comentario servía de apéndice a alguna fecha y consistía generalmente en una sola palabra: "doble", que aparecía unas seis veces entre un total de varios cientos de anotaciones; y en una ocasión, muy al comienzo de la lista, y seguida por varios signos de admiración: "¡fracaso total!". Todo esto, aunque estimuló mi curiosidad, no me dijo nada explícito. Ahí había un frasco de cierta tintura, envoltorios con cierta sal, y el registro de una serie de experimentos que no habían conducido (como ocurre con demasiados de los experimentos de Jekyll) a ningún fin de utilidad práctica. ¿Cómo podía la presencia de aquellos artículos en mi casa afectar el honor, la cordura o la vida de mi inconstante colega? Si aquel mensajero podía ir a un sitio determinado, ¿por qué no a cualquier otro? E incluso concediendo que existiera algún impedimento, ¿por qué debía yo recibir en secreto a aquel caballero? Cuanto más reflexionaba, tanto más me convencía de que estaba frente a un caso de enfermedad mental; y, si bien mandé a la cama a mis sirvientes, cargué un viejo revólver con objeto de encontrarme en posición de poder defenderme.

Apenas habían dado las doce sobre Londres cuando el visitante llamó muy suavemente a la puerta. Acudí yo mismo a la llamada, y me encontré con un hombre de baja estatura acurrucado contra las columnas del pórtico.

—¿Viene usted de parte del doctor Jekyll? —pregunté.

Me dijo "sí" con un gesto forzado; y, cuando le hube invitado a entrar, me obedeció, pero antes arrojó una mirada inquisidora a las tinieblas de la plaza. Había un policía no muy lejos, y avanzaba con sus ojos bovinos muy abiertos; y creí percibir que esa visión hizo apresurarse a mi visitante.

Aquellos detalles me afectaron, lo confieso, desagradablemente; y, mientras le seguía a la brillante luz de la sala de consultas, mantenía la mano preparada sobre mi arma. Allí, por fin, tuve la oportunidad de verle con claridad. Nunca antes había puesto la mirada en él, de eso estaba seguro. Era de corta estatura, como he dicho; me chocó, junto con la espantosa expresión de su rostro, la notable combinación que aparecía en él entre una gran actividad muscular y una acentuada apariencia de debilidad en su complexión; y, por último, pero no en menor medida, la extraña perturbación subjetiva que causaba su proximidad. Tenía cierto parecido con una incipiente rigidez, y venía acompañada por una acentuada disminución del pulso. Por el momento, lo atribuí a cierto desagrado idiosincrático y personal, y sólo me asombré ante la agudeza de los síntomas; pero después he tenido razones para creer que la causa se encuentra a una profundidad mucho mayor en la naturaleza del hombre, y gira en torno a algún rasgo esencial más noble que el principio del odio.

Aquella persona (que de aquel modo, desde el momento en que entró, me había repelido con algo que no puedo describir más que como singular desagrado) iba vestida de un modo que hubiera incitado a risa de tratarse de una persona ordinaria; sus ropas, por ejemplo, aunque eran de un corte elegante y sobrio, eran demasiado grandes para él en todas direcciones: los pantalones le colgaban en las piernas y estaban doblados para que no tocaran el suelo, la cintura del abrigo le quedaba por debajo de las caderas, y el cuello se desplegaba, abierto, por encima de los hombros. Es difícil de creer, pero este atuendo ridículo estuvo lejos de moverme a risa. Más bien, por un no sé qué de anormal y bastardo en la esencia misma de la criatura que tenía enfrente —algo opresivo, sorprendente y repulsivo—, esta nueva irregularidad no parecía sino corresponderse con ella y reforzarla; de modo que, a mi interés por la naturaleza y carácter de aquel hombre, se sumaba una curiosidad sobre su origen, su vida, su fortuna y su posición en el mundo.

Estas observaciones, aunque ocupan aquí tanto espacio, en realidad fueron producto de unos pocos segundos. Mi visitante, por lo demás, estaba inflamado por una sombría excitación.

—¿Lo tiene usted? —gritó—. ¿Lo tiene usted?

Y su impaciencia era tan viva, que incluso me puso una mano en el brazo y pretendió sacudirme.

Me separé de él, consciente, a su tacto, de cierta angustia helada en toda mi sangre.

—Pase, caballero —le dije—. Olvida usted que no tengo todavía el placer de conocerle. Siéntese, haga el favor.

Y le di el ejemplo ocupando yo mismo mi asiento habitual, con una imitación de mis maneras normales con un paciente, tanto como me lo permitieron lo tardío de la hora, la naturaleza de mis preocupaciones y el horror que me producía mi visitante.

—Le ruego que me disculpe, doctor Lanyon —replicó, con gran urbanidad—. Tiene razón en lo que dice usted, y mi impaciencia le ha vuelto la espalda a mi educación. He acudido a instancias de su colega, el doctor Harry Jekyll, por un asunto de negocios de cierta importancia; y, según tengo entendido... —hizo una pausa y se llevó una mano a la garganta; y pude ver, a pesar de lo compuesto de sus modales, que estaba luchando ferozmente contra la aproximación de la histeria— según tengo entendido, un cajón...

En aquel momento me apiadé de la inquietud de mi visitante, y quizá también un poco de mi creciente curiosidad.

—Aquí está, caballero —dije, señalando el sitio en que se encontraba el cajón, en el suelo, detrás de una mesa, y cubierto todavía por una hoja de papel.

Saltó hacia él, luego se detuvo, y se llevó una mano al corazón; pude oír rechinar sus dientes con la actividad convulsiva de sus mandíbulas; y su rostro tenía un aspecto tan espectral que me alarmé tanto por su vida como por su razón.

—Tranquilícese —le dije.

Me dirigió una horrenda sonrisa, y, como con la determinación de un desesperado, arrancó el papel. Al ver el contenido, exhaló un profundo sollozo de tan inmenso alivio que quedé petrificado. Al cabo de un instante, con una voz que estaba ya bastante controlada, me preguntó:

—¿Tiene usted un vaso graduado?

Me levanté de mi asiento con cierto esfuerzo, y le di lo que me pedía.

Me dio las gracias con una sonriente inclinación de cabeza, midió unas mínimas cantidades de la tintura roja, y le añadió uno de los polvos. La mezcla, que era en un comienzo de un tono rojizo, empezó, en la proporción en que se disolvían los cristales, a avivarse de color, a efervescer audiblemente y a despedir algunos humos de vapor. Súbitamente, en un instante cesó la ebullición, y el compuesto cambió a un morado oscuro que volvió a empalidecer, con mayor lentitud, hasta un verde acuoso. Mi visitante, que había contemplado estas metamorfosis con mirada impaciente, sonrió, puso el recipiente sobre la mesa, y luego se volvió, mirándome con aire indagador.

—Y ahora —dijo—, aclaremos de una vez las cosas: ¿quiere usted ser sensato? ¿Quiere dejarse guiar? ¿Quiere permitirme salir de su casa, con este vaso en mi mano, sin más que hablar? ¿O quizá se dejará dominar por los anhelos de la curiosidad? Piénselo antes de contestar, porque se hará lo que usted decida. Según lo indique, se quedará como estaba antes, ni más rico ni más sabio, a menos que la conciencia del favor hecho a un hombre en angustia mortal pueda contarse como una especie de riqueza del alma; o bien, si así prefiere decidirlo, se abrirán ante usted una nueva área del conocimiento y nuevos caminos hacia la fama y el poder, aquí, en esta habitación, en un instante; y su mirada sufrirá los efectos de una explosión capaz de sacudir la incredulidad de Satanás.

—Caballero —le dije, fingiendo una frialdad que estaba muy lejos de poseer en realidad—, habla usted en enigmas, y quizá no le sorprenda que le esté escuchando sin ninguna sensación definida de convencimiento. Pero he ido ya demasiado lejos en la vía de unos favores inexplicables para detenerme antes de ver a qué conducen.

—Está bien —replicó mi visitante—. Lanyon, acuérdese de sus votos: lo que viene a continuación está bajo el secreto de nuestra profesión. Y ahora, tú que has estado por tanto tiempo limitado por los puntos de vista más estrechos y materiales, tú, que has negado las virtudes de la medicina trascendental, tú, que te has reído de quienes son superiores a ti... ¡observa!

Se llevó el frasco a los labios, y se bebió el contenido de un solo trago. Siguió un grito; se tambaleó, se convulsionó, se aferró a la mesa, y así se mantuvo, mirando con los ojos inyectados de sangre y jadeando con la boca abierta; y, mientras yo le miraba, se produjo, me pareció, cierto cambio... Parecía hincharse... Su rostro se puso negro repentinamente, y sus facciones parecieron diluirse y alterarse... En apenas un instante salté sobre mis pies, brinque de espaldas contra una pared, y levanté el brazo para ocultarme de aquel prodigio, con la mente sumergida en el terror.

—¡Santo Dios! —exclamé—. ¡Santo Dios! —y grité una y otra vez; ya que ahí, ante mis ojos, pálido, conmocionado, medio desmayado, y tanteando delante suyo con las manos, como un hombre rescatado de la muerte... ¡estaba Harry Jekyll!

Lo que me narró a lo largo de la siguiente hora no puedo resignar a mi espíritu a contarlo. Vi lo que vi, oí lo que oí, y mi alma enfermó por ello; y, pese a todo, ahora que aquella visión se ha desvanecido de mis ojos, me pregunto si lo creo, y no soy capaz de responder. Mí vida está conmocionada hasta sus raíces; el más atroz de los terrores me acompaña a todas horas del día y de la noche; y, sin embargo, moriré incrédulo. En cuanto a la vileza moral que aquel hombre me desveló, aunque fuera entre lágrimas de arrepentimiento, no puedo, ni siquiera en el recuerdo, detenerme en ella sin un sobresalto de horror. Sólo añadiré una cosa, Utterson, y ésta (si puedes llevar a tu mente a creerla) será más que suficiente. La criatura que se deslizó aquella noche en mi casa era conocida, según la confesión del propio Jekyll, por el nombre de Hyde, y la buscaban por todos los rincones del país como asesino de Carew.

HASTIE LANYON

DECLARACIÓN COMPLETA DE HARRY JEKYLL SOBRE EL CASO

NACÍ EN EL AÑO 18..., EN UN AMBIENTE DE GRAN FORTUNA, dotado además de cualidades excelentes, inclinado por naturaleza al trabajo, deseoso del respeto de los prudentes y bueno entre los hombres; y por tanto, como puede suponerse, con todas las garantías respecto a un futuro honorable y distinguido. Para ser sincero, el peor de mis defectos era cierta impaciente viveza de ánimo que ha otorgado la felicidad de muchos, pero que me ha resultado difícil de conciliar con mi imperioso deseo de llevar alta la cabeza y presentar un semblante más que comúnmente serio ante los demás. Esa fue la razón de que ocultara mis placeres; y que, cuando alcancé los años de la reflexión y empecé a mirar a mi alrededor y a evaluar mis progresos y mi posición en el mundo, estaba ya comprometido en una profunda duplicidad de vida. Muchos hombres hubieran incluso alardeado de las irregularidades de las que yo me declaraba culpable; pero, debido a las elevadas expectativas que tenía ante mí, yo las contemplaba y las ocultaba con una sensación de vergüenza casi enfermiza, por tanto, fue más bien la exigente naturaleza de mis aspiraciones, más que una especial degradación en mis defectos, lo que me convirtió en lo que fui y que, con un abismo más profundo que en el caso de la mayoría de los hombres, separó en mí esos territorios del bien y del mal que dividen y componen la naturaleza dual del hombre. En este caso, me veía conducido a reflexionar profunda y constantemente sobre esa dura ley de la vida que reposa en el fondo de la religión y que es uno de los más abundantes manantiales de desgracia. Aun llevando a cabo un doble juego tan profundo, no era hipócrita en ningún sentido; mis dos facetas eran terriblemente reales; no era en mayor medida yo mismo cuando dejaba de lado la prudencia y me sumía en el deshonor que cuando trabajaba, bajo la luz del día, para profundizar en el conocimiento o aliviar las penas y los sufrimientos. Y sucedió que la orientación de mis estudios científicos, que conducían por completo hacia lo místico y lo trascendental, produjo una reacción y arrojó una fuerte luz sobre esta conciencia de la guerra perenne entre mis personalidades. Por ello, todos los días, y en las dos facetas de mi inteligencia, la moral y la intelectual, me acercaba más a esa verdad por cuyo parcial descubrimiento he sido condenado a un naufragio tan espantoso: que el hombre no es en realidad uno, sino dos. Digo dos porque el nivel de mis conocimientos no me permite ir más allá de este punto. Otros me seguirán, otros me aventajarán en estos mismos conceptos; y aventuro la conjetura de que el hombre, en último término, será conocido como una simple conjunción de sujetos diversos, incongruentes e independientes. Yo, por la naturaleza de mi vida, avancé infaliblemente en una única y definida dirección; en la faceta moral, y en mi propia persona, aprendí a reconocer la profunda y primitiva dualidad del hombre; observé que, si respecto a las dos naturalezas que contendían en el campo de mi conciencia podía decirse, con razón, que yo era una u otra, se debía simplemente a que era radicalmente ambas; y, desde muy temprano, incluso desde antes que el curso de mis descubrimientos científicos empezara a sugerirme la más absoluta posibilidad de tal milagro, había aprendido a aceptar con placer, como en un ensueño agradable, la idea de la separación de esos elementos. Me decía que, si pudieran alojarse en identidades separadas, la vida se vería aliviada de todo lo que resulta insoportable: quien fuera injusto seguiría su propio curso, liberado de las aspiraciones y los remordimientos de su gemelo honrado; y quien fuera justo podría seguir firme e irremediablemente su recto camino, llevando a cabo las buenas cosas donde encuentra su placer, sin exponerse a la desdicha y al remordimiento por parte de lo que le es ajeno. Era la maldición de la humanidad el que aquellos fardos incompatibles estuvieran atados uno con otro; el que, en las angustiadas entrañas de la conciencia, esos gemelos opuestos estuvieran en lucha constante. ¿Cómo, pues, disociarlos?

Había llegado a este punto de mis reflexiones cuando, como he dicho, la luz de un nuevo aspecto empezó a brillar sobre este tema desde la mesa del laboratorio. Empecé a percibir con mayor claridad de la que jamás se había establecido la trémula inmaterialidad, la brumosa transitoriedad de ese cuerpo aparentemente tan sólido al que estamos atados. Descubrí que ciertos agentes poseen el poder de conmover y apartar esa vestimenta de carne, del mismo modo que el viento sacude las paredes de una tienda de campaña. Por dos buenas razones, no voy a entrar profundamente en esta ramificación científica de mi confesión. En primer lugar, porque he tenido que aprender que el destino y la carga de nuestra vida están atados para siempre sobre los hombros del hombre; y cuando se intenta liberarse de ellos, no hacen más que volver a oprimirnos con una presión menos familiar y más terrible. En segundo lugar, tal como mi relato, ¡ay!, hará evidente, mis descubrimientos eran incompletos. Baste, pues, con decir que no sólo reconocí en mi cuerpo natural la simple aura y resplandor de algunos de los poderes que formaban mi espíritu, sino que me las arreglé para elaborar una droga por medio de la cual estos poderes podían ser destronados de su supremacía, y ser sustituidos por una segunda forma y semblante, no menos naturales en mí porque fueran la expresión, y llevaran el sello, de elementos decididamente menores de mi alma.

Estuve titubeando largo tiempo antes de someter esta teoría a la prueba de la práctica. Sabía perfectamente que me jugaba la vida; ya que cualquier droga que con tanta potencia controlara y estremeciera la fortaleza misma de la identidad podía, con la más ínfima sobredosis, o con que el momento de su administración fuera levemente inoportuno, borrar por completo ese tabernáculo inmaterial que yo esperaba alterar. Pero al fin la tentación de un descubrimiento tan singular y profundo venció las advertencias del temor. Hacía tiempo que había preparado mi tintura; compré de inmediato, en una casa de productos químicos al por mayor, una gran cantidad de cierta clase de sal que, según sabía por mis experimentos, era el último ingrediente que se requería; y, muy entrada cierta maldita noche, mezclé los elementos, los vi hervir y humear juntos en un recipiente, y, cuando la ebullición terminó, con un fuerte acopio de valor, bebí la poción.

Siguieron las más torturantes angustias: una conmoción en los huesos, una náusea espantosa, y un horror en el espíritu que no puede ser sobrepasado ni en la hora del nacimiento ni en la de la muerte. Luego, esas angustias empezaron a retirarse velozmente, y me recobré como si saliera de una fuerte náusea. Había algo extraño en mis sensaciones, algo indescriptiblemente nuevo y, por esta misma novedad, increíblemente agradable. Sentía un cuerpo más joven, más ligero, más feliz; por dentro, tenía conciencia de una impetuosa temeridad; oleadas de desordenadas imágenes sensuales corrían en mi imaginación como el agua en un manantial, en una disolución de las ataduras de la obligación y una libertad del alma desconocida, pero no inocente. Me di cuenta, al primer aliento de esa nueva vida, de que era más malvado, diez veces más malvado, vendido como esclavo a mi mal original; y esa noción, en aquel momento, me vigorizó y me deleitó como el vino. Extendí los brazos, regocijado por la novedad de esas sensaciones; y, al hacerlo, noté de repente que había perdido estatura.

En aquellas fechas, no había espejo en mi habitación; el que tengo delante mientras escribo fue traído aquí más tarde, y con motivo precisamente de esas transformaciones. Sin embargo, la noche ya había avanzado mucho hacia el alba, y el amanecer, todavía negro, estaba casi listo para dar paso al día; los sirvientes de mi casa estaban encerrados en las horas más rigurosas del sueño; y me decidí, inflamado como estaba por la esperanza y el triunfo, a aventurarme, bajo mi nueva forma, hasta mi dormitorio. Crucé el patio, donde las constelaciones me contemplaron y pensé, con asombro, que yo era la primera criatura de esa especie que su vigilancia incesante les había mostrado; me deslicé con sigilo por los pasillos, como un extraño en mi propia casa; y, una vez en mi habitación, contemplé por primera vez la apariencia de Edward Hyde.

A partir de este momento, debo hablar de modo sólo teórico, no diciendo lo que sé, sino lo que creo más probable. El lado malo de mi naturaleza, al que ahora había transferido una infamante eficiencia, era menos robusto y menos desarrollado que el lado bueno que acababa de abandonar. Influía también que, en el curso de nueve décimas partes de mi vida, había aplicado, después de todo, esfuerzos, virtud y control, con lo que se había ejercitado y se había gastado mucho menos. Esa era la razón, pienso, que Edward Hyde fuera muchísimo más pequeño, ligero y joven que Harry Jekyll; y también que, así como el bien brillaba en el semblante de uno, el mal estuviera escrito abierta y claramente en el rostro del otro. Además, el mal (que, según creo todavía, es el lado letal del hombre), había dejado en aquel cuerpo un sello de deformidad y vileza. Y, sin embargo, cuando contemplé en el espejo aquella fea imagen, no tuve ninguna sensación de repugnancia, sino, más bien, un impulso de bienvenida. Yo también era aquello. Parecía natural y humano. Me trajo a los ojos una noción más viva del espíritu, que parecía más explícita y simple que la imagen imperfecta y dividida que hasta entonces había tenido la costumbre de llamar mía. Y, en este sentido, sin duda tenía razón. He observado que, cuando adoptaba el aspecto de Edward Hyde, nadie podía acercárseme sin una visible desconfianza física. Esto, según entiendo, se debía a que todos los seres humanos, tal como los conocemos, tienen mezclados en ellos el bien y el mal; y sólo Edward Hyde, en las filas de la humanidad, era puro mal.

Me demoré tan sólo unos momentos ante el espejo: el segundo y decisivo experimento estaba pendiente; faltaba verificar si había perdido sin remedio mi identidad y debía huir, antes de romper el día, de una casa que ya no era mía; volví corriendo a mi gabinete, preparé de nuevo el brebaje, lo bebí, sufrí una vez más las angustias de la disolución, y regresé una vez más al carácter, la estatura y el rostro de Harry Jekyll.

Aquella noche había llegado a la encrucijada fatal. Si hubiera abordado mi descubrimiento con un espíritu más noble, si me hubiera arriesgado al experimento bajo el dominio de aspiraciones generosas y piadosas, todo hubiera podido ser distinto, y hubiera podido surgir de las angustias de la muerte y el nacimiento como un ángel y no como un diablo. La droga no tenía ninguna acción discriminadora; no era ni diabólica ni divina; tan sólo sacudía las puertas de la cárcel de mi carácter; y, como los cautivos de Filipos, lo que estaba dentro quedaba afuera. En ese momento, mi virtud se adormeció; mi mal, mantenido despierto por la ambición, estaba alerta y presto a aprovechar las ocasiones; y la cosa que se proyectaba era Edward Hyde. Por tanto, aunque ahora tenía dos caracteres, al igual que dos apariencias, una de ellas era completamente mala, y la otra era todavía el viejo Harry Jekyll, esa mezcla incompatible con cuya reforma y mejora ya desesperaba. De ese modo, la tendencia favorecía totalmente a lo malo.

En aquel tiempo, todavía no había dominado mi aversión por la aridez de una vida de estudio. Todavía tenía una disposición alegre por momentos; y, como mis placeres eran (es lo menos que puede decirse) indignos, debido a que no sólo era bien conocido y muy estimado, sino que además ya estaba en camino de convertirme en un hombre mayor, esa incoherencia de mi vida se me hacía cada día menos soportable. Fue por esta cuestión que mi nuevo poder me tentó hasta que caí en la esclavitud. Me bastaba con beberme el brebaje para deshacerme del cuerpo del distinguido profesor y revestirme, como con un grueso gabán, con el cuerpo de Edward Hyde. Sonreía ante la idea; entonces aquello me parecía divertido; e hice mis preparativos con el más diligente cuidado. Alquilé y amueblé esa casa en el Soho a la que Hyde fue seguido por la policía, y contraté como ama de llaves a una persona que me ofrecía garantías de silencio y falta de escrúpulos. Por otra parte, anuncié a mi servidumbre que un tal míster Hyde (a quien describí) debía gozar de plena libertad y poder en mi casa de la plaza, y, para evitar malos entendidos, llegué a venir de visita y a convertirme en un objeto familiar bajo mi segunda personalidad. A continuación, redacté ese testamento al que tú te opusiste tanto, para que si algo me sucedía bajo la forma de doctor Jekyll pudiera pasar a la de Edward Hyde sin pérdidas pecuniarias. Y, de este modo, fortificado, según pensaba, en todos los frentes, empecé a aprovechar las extrañas inmunidades de mi posición.

En otra época, los hombres contrataban a criminales a sueldo para llevar a cabo sus crímenes, mientras que su persona y su reputación quedaban amparadas. Fui el primero que jamás haya hecho esto para su placer. De este modo, fui el primero que pudo caminar ante la mirada pública con una pesada carga de cordial respetabilidad y, al cabo de un momento, como un colegial, liberarme de esta hipoteca y zambullirme de cabeza en el mar de la libertad. Pero yo, con mi manto impenetrable, tenía absoluta seguridad. Piensa en esto: ¡ni siquiera existía! Bastaba con que escapara hasta la puerta de mi laboratorio, dispusiera de uno o dos segundos para hacer la mezcla y beberme la pócima, que siempre tenía dispuesta; y, fuera lo que fuera lo que hubiera hecho, Edward Hyde se esfumaba como el vaho del aliento en un espejo; y ahí, en vez de él, tranquilamente en su casa, despabilando la lámpara en su estudio, estaría un hombre que podía reírse de cualquier sospecha: Harry Jekyll.

Los placeres que me apresuré a buscar con mi disfraz fueron, como he dicho, indignos; pero difícilmente podría emplear un término más riguroso. Pero, en manos de Edward Hyde, pronto empezaron a derivar hacia lo monstruoso. Cuando retornaba de esas excursiones, a menudo me sumía en una especie de asombro ante mi indirecta depravación. Aquel ser familiar que surgía de mi propia alma y exponía para que actuara a su placer era inherentemente maligno y depravado; todos sus actos y pensamientos se centraban en sí mismo; bebía el placer con avidez bestial a costa de cualquier grado de tormento para los demás; era incansable como si fuera de roca. Harry Jekyll se horrorizaba a veces ante los actos de Edward Hyde; pero la situación estaba al margen de las leyes ordinarias, y relajaba insidiosamente el apoyo de la conciencia. Después de todo, el culpable era Hyde, sólo Hyde. Jekyll no se hacía peor; volvía a sus buenas cualidades sin daño aparente; incluso se apresuraba, cuando era posible, a reparar el daño hecho por Hyde. Y, de este modo, adormecía su conciencia.

No tengo intenciones de entrar en los detalles de la infamia que consentí de este modo, ya que ni siquiera podría asegurar que yo incurriera en ella. Deseo tan sólo señalar los signos de aviso y los pasos sucesivos con que se fue acercando mi castigo. Tuve un accidente que, por no haber propiciado mayores consecuencias, no volveré a mencionar. Un acto de crueldad con una niña provocó contra mí la ira de un viandante, al que reconocí el otro día en la persona de tu pariente; el médico y la familia de la niña se le unieron; hubo momentos en que temí por mi vida; y, finalmente, con objeto de apaciguar su justo resentimiento, Edward Hyde tuvo que conducirlos hasta la casa y entregarles un cheque firmado por Harry Jekyll. Pero este peligro se eliminó fácilmente en el futuro por medio de una cuenta abierta en otro banco a nombre del propio Edward Hyde; y cuando, inclinando mi escritura hacia atrás, le proporcioné a mi doble una firma, pensé que me hallaba fuera del alcance del destino.

Unos dos meses antes del asesinato de Sir Danvers, habiendo salido a una de mis aventuras, volví muy tarde, y me desperté en la cama, al día siguiente, con unas sensaciones un tanto extrañas. En vano busqué en torno mío; en vano vi el decoroso mobiliario y las amplias proporciones de mi habitación en la casa de la plaza; en vano reconocí las formas de las cortinas del lecho y los dibujos de la estructura de caoba; había algo que seguía insistiendo en que no me encontraba donde estaba, en que no me había despertado en el sitio donde aparentemente me encontraba, sino en la pequeña habitación del Soho en la que solía dormir con el cuerpo de Edward Hyde. Sonreí para mí, y, a mi modo psicológico, me puse a analizar perezosamente los elementos de esa ilusión, cayendo, por momentos, en una agradable somnolencia matutina. Seguía entregado a esto cuando, en uno de los momentos en que desperté, mi mirada se posó en una de mis manos. Pues bien: la mano de Harry Jekyll (tal como habrás observado muchas veces) tenía la forma y el tamaño comunes en un profesional; era ancha, firme, blanca y hermosa; pero la mano que vi en aquel momento, con toda claridad, a la luz amarilla de la media mañana londinense, medio cubierta por las sábanas, era flaca, con nervaduras, nudosa, de una palidez pardusca, y densamente sombreada por un vello oscuro. Era la mano de Edward Hyde.

Debí quedarme contemplándola durante cerca de medio minuto, sumergido en la estupidez del asombro, antes de que el terror despertara en mi pecho, tan súbito y aterrador como un entrechocar de címbalos; salté de la cama y me abalancé al espejo. Ante lo que se encontraron mis ojos, mi sangre se transformó en algo sutilmente frágil y helado. Sí: me había ido a la cama como Harry Jekyll, y había despertado como Edward Hyde. ¿Cómo podía explicarse esto?, me pregunté, y luego, con otro sobresalto de terror: ¿cómo podía remediarse? Eso ocurría ya muy entrada la mañana; los sirvientes estaban levantados; todas mis drogas estaban en el gabinete... Un largo viaje: había que bajar dos tramos de escaleras, seguir el pasillo trasero, cruzar el patio descubierto y el anfiteatro de anatomía, donde me paralizaba el horror de la comprensión. Quizá sería posible taparme la cara; pero ¿de qué servía hacerlo, si no podía ocultar la modificación de mi estatura? Y entonces, con una abrumadora sensación de alivio, recordé que la servidumbre ya estaba acostumbrada a las idas y venidas de mi segundo yo. Pronto estuve vestido, todo lo bien que pude, con ropas de mi propia estatura; no tardé en cruzar la casa, no sin que Bradshaw me mirara y se sobresaltara al ver a míster Hyde a semejante hora y con tan extraño atuendo, y, a los diez minutos, el doctor Jekyll había vuelto a su propia forma y estaba sentado, con expresión sombría, fingiendo que desayunaba.

Y realmente tenía poco apetito. Aquel incidente inexplicable, aquella inversión de mis anteriores experiencias, parecía, como el dedo babilónico sobre el muro, detallar las letras de mi juicio; y me puse a reflexionar con más seriedad que nunca en las perspectivas y posibilidades de mi doble existencia. Esa parte de mí que yo tenía el poder de proyectar se había ejercitado y alimentado muy bien últimamente; hasta me pareció que el cuerpo de Edward Hyde hubiera aumentado de estatura, como si (cuando adoptaba esa forma) tuviera conciencia de una más generosa irrigación sanguínea; y empecé a captar el peligro de que, si aquello se prolongaba demasiado, el equilibrio de mi naturaleza se rompiera en forma permanente, se perdiera el poder del cambio voluntario, y el carácter de Edward Hyde se convirtiera en modo irreversible en el mío. El poder de la droga no siempre se había desplegado con igual fuerza. En cierta ocasión, muy al principio de mi carrera, me había fallado por completo; después, en más de una ocasión había tenido que duplicar, y una vez, con infinito peligro de muerte, triplicar la dosis; y, hasta entonces, esas escasas incertidumbres habían arrojado la única sombra sobre mi satisfacción. Ahora, sin embargo, y a la luz de aquel accidente matutino, comprobé que si bien, en el comienzo, la dificultad había residido en quitar de en medio el cuerpo de Jekyll, posteriormente, y de modo gradual pero constante, esta dificultad se había modificado. Todo parecía, por tanto, apuntar a esto: que poco a poco iba perdiendo el control de mi yo original y mejor, incorporándome lentamente a mi segundo y peor yo.

Sentía que debía elegir entre estos dos. Mis dos naturalezas tenían la memoria en común, pero todas las demás facultades estaban repartidas entre ellos del modo más desigual. Jekyll (que era una combinación), unas veces con las más sensibles reservas, y otras con vehemente agrado, proyectaba y compartía los placeres y las aventuras de Hyde; pero Hyde sentía indiferencia por Jekyll, o sólo lo recordaba como el bandido, en el monte, recuerda la cueva en la que se oculta de las persecuciones. Jekyll tenía más interés que un padre; Hyde tenía más indiferencia que un hijo. Jugármelo todo a Jekyll significaba aplastar esos apetitos a los que durante tanto tiempo había cedido en secreto y a los que últimamente había empezado a entregarme. Jugármelo a Hyde significaba morir para miles de intereses y aspiraciones, y convertirme, de golpe y para siempre, en un ser despreciado y sin amigos. Tal vez la apuesta pareciera desigual; pero todavía había otra consideración que pesaba en la balanza: Jekyll sufriría agudamente en las llamas de la abstinencia, mientras que Hyde ni siquiera tendría conciencia de todo lo que había perdido. Por extrañas que fueran las circunstancias, los términos de la disyuntiva eran tan viejos y comunes como el hombre mismo; en gran medida, los mismos motivos y alarmas arrojan el dado en el caso de muchos pecadores tentados y temblorosos; y para mí el dado cayó, como ocurre con casi todos mis congéneres, eligiendo la mejor parte, y me encontré anhelando la fuerza de voluntad para mantener mi propósito.

Sí, preferí al médico ya casi viejo e insatisfecho, rodeado de amigos y alentando honradas esperanzas; y me despedí resueltamente de la libertad, la relativa juventud, el andar ligero, los batientes impulsos y los placeres secretos que había disfrutado bajo el disfraz de Hyde. Quizá hice esta elección con cierta reserva inconsciente, ya que no desalquilé la casa del Soho, ni destruí la ropa de Edward Hyde, que todavía está lista en mi gabinete. Sin embargo, durante dos meses respeté mi determinación; durante ese tiempo llevé una vida más severa de la que nunca había llevado, y disfruté de las compensaciones de una conciencia aprobatoria. Pero el tiempo empezó, al fin, a amortiguar la viveza de mis temores; los elogios de la conciencia empezaron a convertirse en cosa de rutina; empecé a sentirme torturado por angustias y anhelos, como si Hyde luchara por su libertad; y, por último, en un momento de debilidad moral, volví a preparar y a beber el brebaje transformador.

No creo que cuando un borracho razona consigo mismo acerca de su vicio se sienta afectado, ni una vez de cada quinientas, por los peligros que corre en el curso de su bestial insensibilidad física; tampoco yo, pese a haber considerado tanto tiempo mi situación, concedí la importancia suficiente a la completa insensibilidad moral y a la desenfrenada disposición al mal que eran los rasgos predominantes de Edward Hyde. Sin embargo, a través de ellas recibí mi castigo. Mi demonio había estado enjaulado largo tiempo y salió rugiendo. Tuve conciencia, incluso en el momento de ingerir el brebaje, de una propensión al mal todavía más desbocada y furiosa. Debió ser esto, imagino, lo que provocó en mi alma aquella tempestad de impaciencia con que escuché las palabras corteses de mi desdichada víctima; al menos declaro, delante de Dios, que ningún hombre moralmente sano pudo haberse hecho culpable de aquel crimen con base en una provocación tan ínfima; y que golpeé con un espíritu tan irrazonable como el de un niño que rompe un juguete. Mas me había despojado voluntariamente de todos aquellos instintos de equilibrio con que incluso los peores entre nosotros prosiguen su camino con cierta rectitud en medio de las tentaciones; y, en mi caso, verme tentado, aunque fuera ligeramente, representó la caída.

Se despertó en mí de inmediato el espíritu del infierno y enfurecí. Con un arrebato de júbilo, apaleé aquel cuerpo inerme, degustando el placer a cada golpe; y no fue sino al empezar a manifestarse el cansancio cuando de súbito, en la cima de mi delirio, sentí que penetraba en mí, hasta lo más hondo, un frío estremecimiento de terror. Se disipó una niebla; vi que mi vida se perdía; y huí del escenario de aquellos excesos, al mismo tiempo triunfante y tembloroso, con mi lujuria del mal gratificada y estimulada y mi amor a la vida encumbrado hasta el máximo nivel. Corrí a mi casa del Soho, y, para asegurarme por partida doble, destruí mis papeles; salí de allí a las calles iluminadas por farolas con idéntico estado mental de éxtasis dividido, deleitándome el crimen cometido, proyectando con claridad en mi cerebro otros para el futuro, y, sin embargo, apresurándome y todavía consciente de mi despertar en el lugar del vengador. Hyde tenía una canción en los labios mientras preparaba el brebaje, y al bebérselo brindó por el hombre muerto. Las angustias y la transformación no habían terminado de desgarrarlo cuando Harry Jekyll, con abundantes lágrimas de gratitud y de remordimiento, caía de rodillas y elevaba a Dios sus manos enlazadas. El velo de la autojustificación estaba desgarrado de arriba abajo, y vi mi vida en su conjunto: la recorrí desde los días de la infancia, cuando paseaba de la mano de mi padre, y a través de los trabajos abnegados de mi vida profesional, para llegar una y otra vez, siempre con la misma sensación de irrealidad, a los condenables horrores de aquella noche. Estuve a punto de ponerme a gritar; traté, con llantos y plegarias, de alejar la multitud de repulsivas imágenes y sonidos con que hervía mi memoria en contra mía; y, sin embargo, todavía, en medio de las súplicas, el feo rostro de mi iniquidad miraba dentro de mi alma. Cuando lo más agudo de este remordimiento empezó a extinguirse, lo siguió una sensación de alegría. El problema de mi conducta estaba solucionado. En lo sucesivo, era imposible ser Hyde; lo quisiera yo o no, quedaba ahora confinado a la mejor parte de mi existencia; y, en aquel momento, ¡cómo me alegró pensarlo! ¡Con qué gustosa humildad volví a abrazar las restricciones de la vida natural! ¡Con qué sincera renuncia cerré la puerta por la que tan a menudo había entrado y salido, y pisoteé la llave contra el suelo!

El día siguiente llegaron las noticias de que el asesinato había sido investigado, de que la culpabilidad de Hyde era patente a los ojos del mundo, y de que la víctima era un hombre a quien el mundo tenía en gran estima. No sólo había sido un crimen, sino una trágica locura. Creo que me sentí encantado de saberlo; creo que me sentí encantado de tener mis mejores impulsos atados y protegidos de este modo por los horrores del patíbulo. Jekyll era ahora mi refugio; si Hyde se asomara tan sólo un instante, las manos de todos los hombres se alzarían para atraparle y matarle.

Resolví redimir el pasado con mi conducta futura; y puedo decir con sinceridad que mi resolución fructificó en algún bien. Tú mismo conoces la vehemencia con la que trabajé durante los últimos meses para aliviar sufrimientos; y sabes que hice mucho por los demás, y que los días pasaban con tranquilidad, casi con felicidad para mí. Tampoco podría afirmar que me hastiara esa existencia inocente y benéfica; al contrario, creo que cada día disfruté de ella con mayor plenitud; pero seguía maldito por mi dualidad de propósitos, y, mientras el primer filo de mi penitencia se desgastaba, la parte más baja de mí, consentida durante tanto tiempo, y encadenada tan recientemente, empezaba a gruñir reclamando libertinaje. No es que pensara en absoluto en resucitar a Hyde; la sola idea de hacerlo me sobresaltaba al punto del frenesí: no, era mi propia persona la que una vez más se sentía tentada de jugar con mi conciencia; y, como todos los pecadores secretos comunes, acabé cediendo ante los asaltos de la tentación.

Todas las cosas tienen un fin; la más ancha de las medidas acaba por colmarse; y esta breve condescendencia con mi mal destruyó al fin el equilibrio de mi alma. Y, sin embargo, no me sentí alarmado; la caída parecía natural, como una vuelta a los viejos tiempos, anteriores a mi descubrimiento. Era un hermoso y limpio día de enero, húmedo bajo las pisadas por haberse fundido la escarcha, pero sin nubes en el cielo; y Regent's Park estaba lleno de trinos y aromatizado por los olores de la primavera. Me senté al sol en un banco; el animal, dentro de mí, lamía los cortes en mi memoria; el lado espiritual estaba un poco adormecido, prometiendo una penitencia posterior, pero sin sentirse impulsado a empezarla. Después de todo, pensaba, yo era como los demás; y entonces sonreí, comparándome con los otros hombres, comparando mi activa voluntad para el bien con la perezosa crueldad de su descuido. Y, en el momento mismo de aquel pensamiento de vanagloria, me invadió una sensación de desmayo, una náusea horrenda y un estremecimiento letal. Aquello desapareció, y me quedé inconsciente; y luego, cuando el desvanecimiento desapareció a su vez, empecé a tener conciencia de un cambio en el carácter de mis pensamientos, una mayor audacia, un desprecio del peligro, una disolución de los lazos del deber. Miré a mi alrededor; mis ropas colgaban informemente sobre mis miembros contraidos; la mano que descansaba en mi rodilla tenía nervaduras y vellos. Era una vez más Edward Hyde. Un momento antes estaba seguro del respeto de todos los hombres, era rico, estimado... los manteles estaban puestos para mí en el comedor de mi casa; y ahora pertenecía a la común cantera de la humanidad, era un perseguido, sin hogar, un célebre asesino, destinado a la horca.

Mi razón se tambaleó, pero no me falló enteramente. Había observado más de una vez que, en mi segunda forma, mis facultades parecían más agudas hasta cierto punto y mis ánimos más tensamente elásticos; por tal razón, allí donde Jekyll quizá hubiera sucumbido, Hyde se elevó a la altura de las circunstancias. Mis drogas estaban en una de las vitrinas de mi gabinete: ¿cómo llegar a ellas? Este era el problema que, apretándome las sienes con los puños, me puse a resolver. Había cerrado la puerta del laboratorio. Si trataba de entrar por la casa, mis propios sirvientes me mandarían a la horca. Vi que tenía que utilizar otra mano, y pensé en Lanyon. ¿Cómo llegar hasta él? ¿Cómo persuadirle? Suponiendo que escapara a ser capturado en la calle, ¿cómo iba a llegar a su presencia? ¿Y cómo podía yo, un visitante desconocido y desagradable, convencer al célebre médico para que saqueara el estudio de su colega, el doctor Jekyll? Luego recordé que me quedaba una parte de mi ser original: podía escribir con mi propia letra; y, una vez concebida esta benigna inspiración, el camino a seguir se iluminó de un extremo a otro.

Entonces me arreglé la ropa lo mejor que pude, y, llamando a un carruaje que pasaba por allí, me dirigí a un hotel en Portland Street cuyo nombre alcancé a recordar. Al ver mi aspecto (que, a decir verdad, era realmente cómico, por trágico que fuera el destino que cubría aquel atuendo), el cochero no pudo contener la risa. Hice rechinar los dientes contra él en un acceso de furia diabólica; y la sonrisa se le borró del rostro, por suerte para él, pero todavía con mayor fortuna para mí mismo, ya que era indudable que, al cabo de un instante, lo hubiera derribado de su pescante. Cuando entré en el hotel, miré a mi alrededor con un aire tan siniestro que los empleados temblaron; no intercambiaron ni una mirada en mi presencia, sino que obsequiosamente acataron mis órdenes, me condujeron a una habitación privada, y me trajeron lo necesario para escribir. Hyde temiendo por su vida era para mí una criatura nueva, conmocionada por una ira desordenada, bordeando los límites del asesinato y anhelando infligir daño. Sin embargo, esa criatura era astuta; dominó su furia con un gran esfuerzo de voluntad; escribió sus dos importantes cartas, una dirigida Lanyon y otra a Poole, y, para tener una total seguridad de que habían sido cursadas, las envió con instrucciones de que fueran certificadas.

A partir de aquel momento, permaneció todo el día junto al fuego de la habitación privada, mordiéndose las uñas; allí comió, solo con sus temores, y con el camarero visiblemente acobardado en su presencia; y, cuando la noche cayó por completo, se instaló en un rincón de un coche de alquiler cerrado, y fue conducido de un lado a otro por las calles de la ciudad. Él, digo... No puedo decir "yo". Aquel hijo del infierno no tenía nada humano; nada habitaba en él excepto el miedo y el odio. Y cuando finalmente, creyendo que el cochero empezaba a sentir sospechas, despidió el coche y se aventuró a pie, ataviado con sus ropas holgadas, como un objeto propicio para ser observado por todos los transeúntes nocturnos, esas dos bajas pasiones bramaron dentro de él como una tempestad. Anduvo aprisa, perseguido por sus temores, murmurando para sí, amparándose en las sombras de las calles menos frecuentadas, contando los minutos que todavía le separaban de la medianoche. En una ocasión, una mujer le habló, ofreciéndole, supongo, una caja de cerillos. La golpeó en el rostro, y ella huyó.

Cuando volví a mi ser en casa de Lanyon, el horror de mi viejo amigo me afectó quizá de algún modo; no lo sé; fue, al menos, una gota en el mar del aborrecimiento como contemplé retrospectivamente aquellas horas. En mí se había producido un cambio. Ya no era el miedo a la horca, sino el horror de ser Hyde lo que me agobiaba. Acogí la condenación de Lanyon como un sueño; también creí que en un sueño volví a mi casa, a mi propia casa, y me puse en cama. Dormí, después de la postración del día, con un sueño riguroso y profundo que ni siquiera las pesadillas que me aportó pudieron romper. Me desperté por la mañana conmocionado, débil, pero repuesto. Seguía odiando y temiendo a la bestia que dormía dentro de mí, y, naturalmente, no había olvidado los peligros del día anterior; pero me encontraba una vez más en casa, en mi propia casa y cerca de mis drogas; y la gratitud por haber escapado brilló con tanta intensidad en mi alma que casi rivalizó con el resplandor de la esperanza.

Paseaba ociosamente por el patio, después del desayuno, aspirando con placer la frialdad del aire, cuando percibí una vez más las sensaciones indescriptibles que presagiaban el cambio; y apenas tuve tiempo de alcanzar el refugio de mi gabinete cuando una vez más rabiaba y me helaba con las pasiones de Hyde. En esta ocasión necesité una dosis doble para volver a ser yo; y ¡ay! al cabo de seis horas, mientras, sentado, miraba el fuego con melancolía, volvieron las angustias, y tuve que volver a administrarme la droga. En resumen, de aquel día en adelante, pareció que tan sólo por un tremendo esfuerzo, como gimnástico, y tan sólo bajo el inmediato estímulo de la droga, podía conservar el semblante de Jekyll. A todas las horas del día y de la noche me atrapaban los estremecimientos premonitorios; y, sobre todo, si me dormía, o tan sólo si dormitaba unos momentos en mi silla, era siempre como Hyde que despertaba. Bajo la tensión de aquel destino continuamente amenazador, y por la falta de sueño a la que me condenaba, incluso más allá de lo que había creído posible para un hombre, me convertí, en mi propia persona, en una criatura consumida e invadida por la fiebre, lánguidamente débil tanto en cuerpo como en mente y entregada a una sola idea: el horror a mi otro yo. Pero cuando me dormía, o cuando el efecto del medicamento desaparecía, saltaba casi sin transición (ya que las angustias de la transformación fueron cada día menos agudas), a la posesión de una imaginación colmada con imágenes de terror, de un alma que bullía de odios sin causa y de un cuerpo que no parecía lo bastante fuerte para contener las furiosas energías de la vida. Los poderes de Hyde parecían haber aumentado con el estado enfermizo de Jekyll. Y, ciertamente, el odio que ahora los dividía era igual en ambas partes. Con Jekyll era una cuestión de instinto vital. Ahora había visto toda la deformidad de aquella criatura que compartía con él algunos de los fenómenos de la conciencia y que era su coheredera ante la muerte; y, más allá de estos lazos comunes, que constituían en sí mismos la parte más acerba de su desdicha, pensaba en Hyde, con toda su energía vital, como en algo no sólo diabólico, sino también inorgánico. Y esto era lo espantoso: que el limo del pozo pareciera emitir voces y gemidos; que el polvo amorfo gesticulara y pecara; que lo que estaba muerto y no tenía forma usurpara las funciones de la vida. Y también esto: que aquel horror insurgente estuviera ligado a él más estrechamente que una esposa, más estrechamente que los ojos; que yaciera enjaulado en su carne, donde le oía murmurar, sintiendo su lucha por nacer; y en todo momento de debilidad y en la relajación del sueño, lo dominaba y lo destituía de la vida. El odio de Hyde por Jekyll era de otro orden. Su terror a la horca le llevaba continuamente a cometer un suicidio temporal y a volver a su situación subordinada como una parte en vez de una persona; pero maldecía aquella necesidad, maldecía el desaliento en que ahora había caído Jekyll, y se ofendía por el desagrado con que éste lo contemplaba. Ese era el motivo de los trucos simiescos que empleaba contra mí, garabateando blasfemias, con mi propia letra, en las páginas de mis libros, quemando las cartas y destruyendo el retrato de mi padre; y lo cierto es que, de no ser por su miedo a la muerte, hace ya mucho que se hubiera destruido a sí mismo para arrastrarme en su destrucción. Pero su amor a la vida es asombroso; diré más: yo mismo, que enfermo y me congelo ante la sola idea de su presencia, encuentro para él, cuando recuerdo la abyección y la pasión de este apego y cuando me doy cuenta de hasta qué punto le aterra mi poder de acabar con él por medio del suicidio, piedad en mi corazón.

Es inútil, y me falta terriblemente el tiempo, prolongar esta descripción; baste decir que nadie ha sufrido jamás tormentos semejantes; y, sin embargo, incluso frente a ellos la costumbre me había aportado, no alivio, no; sino cierto endurecimiento del alma, una cierta aceptación de la desesperación; y mi castigo hubiera podido proseguir durante años si no fuera por la última calamidad que ahora sobreviene, y que finalmente me ha separado de mi propio rostro y naturaleza. Mi provisión de esa sal, que no había sido renovada desde la fecha de mi primer experimento, empezó a escasear. Solicité un nuevo suministro e hice la mezcla; se produjo la ebullición, y el primer cambio de color, pero no el segundo; bebí el brebaje, pero no tuvo eficacia. Sabrás por Poole cómo he registrado todo Londres; pero en vano; y ahora estoy convencido de que mi primera provisión era impura, y que fue esa impureza desconocida la que hacía eficaz la poción.

Ha pasado más o menos una semana, y ahora estoy terminando esta declaración bajo los efectos del último resto de los viejos polvos. Por tanto, esta es la última vez que, si no media un milagro, Harry Jekyll puede emitir sus propios pensamientos y contemplar su propio rostro (¡qué tristemente cambiado ahora!) en el espejo. Y no debo demorarme mucho en llegar al término de este escrito; ya que, si mi relato ha escapado hasta ahora a la destrucción ha sido por una combinación de mucha prudencia y mucha buena suerte. Si las angustias del cambio se apoderaran de mí mientras estoy escribiendo, Hyde lo destrozaría; pero si ha transcurrido algún rato después de haberlo guardado, es probable que su asombroso egoísmo y su circunscripción al momento lo salven una vez más de la acción de su simiesco rencor. Por lo demás, el destino que se está cerrando sobre nosotros dos ya le ha cambiado y abrumado. Dentro de media hora, cuando una vez más, y para siempre, me haya revestido de esa personalidad odiada, sé que permaneceré sentado en mi silla temblando y llorando, o continuaré, bajo la más extrema tensión de un éxtasis de escucha aterrorizada, caminando arriba y abajo por esta habitación (mi último refugio en esta tierra) prestando oído a cualquier ruido amenazador. ¿Morirá Hyde en el patíbulo? ¿O encontrará el valor de liberarse por su propia mano en el último momento? Sólo Dios lo sabe; a mí no me importa; ésta es mi auténtica hora de muerte, y lo que venga después concierne a alguien que no soy yo. De modo que ahora, en el momento de dejar la pluma y cuando proceda a sellar mi confesión, habrá llegado a su fin la vida de Harry Jekyll.

El extraño caso del Dr. Jekyll y Mr. Hyde,
de R.L. Stevenson, fue impreso en abril
de 2003, en UV Print, Sur 26-A, núm.
14 bis, 08500, México, D.F.